LES CHEMINS DE LA SAGESSE

DU MÊME AUTEUR

LE MESSAGE DES TIBÉTAINS
ASHRAMS
YOGA ET SPIRITUALITÉ
LES CHEMINS DE LA SAGESSE
(tomes I, II et III)
MONDE MODERNE ET SAGESSE ANCIENNE
A LA RECHERCHE DU SOI
LE VÉDANTA ET L'INCONSCIENT
A la Recherche du Soi II
AU-DELÀ DU MOI
A la recherche du Soi III
TU ES CELA
A la Recherche du Soi IV
UN GRAIN DE SAGESSE
POUR UNE MORT SANS PEUR
LA VOIE DU CŒUR
L'AUDACE DE VIVRE
APPROCHES DE LA MÉDITATION
EN RELISANT LES ÉVANGILES

Sur le même enseignement

DE NAISSANCE EN NAISSANCE
LA MÉMOIRE DES VIES ANTÉRIEURES
MÈRE. SAINTE ET COURTISANE
par Denise Desjardins
ANTHOLOGIE DE LA NON-DUALITÉ
par Véronique Loiseleur
MÉTAPHYSIQUE POUR UN PASSANT
par Éric Edelmann
ALAN WATTS. TAOÏSTE D'OCCIDENT
par Pierre Lhermite

ARNAUD DESJARDINS

LES CHEMINS DE LA SAGESSE

2

LA TABLE RONDE
9, rue Huysmans, Paris 6e

ISBN 2-7103-0456-2

INTRODUCTION

« Celui qui sait ne parle pas, celui qui parle ne sait pas ». Je n'ai jamais fait une conférence ou écrit un livre sans penser à cette célèbre maxime. Dans quelle mesure a-t-on le droit de parler de la Sagesse sans être arrivé soi-même au bout du chemin ? Mes premiers ouvrages ont été des témoignages sur ce qu'un Européen découvre, voit, entend, éprouve dans un ashram hindou ou une gompa tibétaine. J'y faisais part de certaines expériences personnelles mais j'y rapportais aussi — assez fidèlement — les réponses des maîtres que j'avais approchés.

Le premier tome des « Chemins de la sagesse » et ce second volume sont d'un genre différent. Je décris quelques aspects d'une voie (en sanscrit : *marga*) qui m'est apparue particulièrement compatible avec les conditions de vie des Occidentaux modernes. Après avoir, pendant des années, pratiqué le hatha yoga, les exercices respiratoires et la méditation, étudié la théologie chrétienne et vécu dans la ferveur religieuse « dualiste », j'ai reconnu l'*adhyatma yoga* comme le chemin qui me convenait le mieux. Son exigence implacable d'honnêteté et de vérité est un défi quotidien mais tout ce qui nous compose y trouve sa place et sa fonction provisoire. Rien n'est nié : tout est assumé, intégré et transformé.

Dans le milieu traditionnel tibétain tel que je l'ai encore connu, personne ne se permettrait d'écrire, comme je le fais, des ouvrages dont la valeur est relative. Je peux même préciser que les livres si intéressants de l'Européen Lama Anagarika Govinda ont, pour les Tibétains, un caractère anormal, inorthodoxe. Les seuls textes diffusés sont les Ecritures et les commentaires de certains sages, dont toute parole est l'expression impersonnelle de la vérité. Les opinions et les vues de tel ou tel ne sont pas prises en considération.

Quand on copiait laborieusement des manuscrits ou sculptait chaque lettre de chaque page sur un bloc de bois qui servirait à leur impression, la valeur des livres était immense et non moins immense le respect qui leur était porté. Aujourd'hui le règne de la quantité affecte l'édition et la librairie autant ou plus que toute autre activité. Du moment qu'un titre a une chance de rapporter à un éditeur un peu plus que la mise de fonds, le voilà au catalogue et, pour quelques semaines, dans le commerce. N'importe qui a le droit d'écrire n'importe quoi.

Ce dont je parle, je ne l'ai pas découvert par moi-même mais péniblement appris et patiemment mis en pratique. Cela a donc pour moi un certain prix et j'en ai conclu que cela pouvait aussi avoir de la valeur pour d'autres. Valeur doublement relative : parce que ce n'est pas le maître qui parle mais l'élève et parce que le lecteur n'aura pas fait lui-même les efforts qui permettent de comprendre et de recevoir.

Voici donc un ouvrage sur la Sagesse qui n'a pas été écrit par un sage. Je sais que certains n'acceptent pas ce genre de documents et condamnent mes livres, conférences ou émissions de Télévision. Comme ils n'ont pas l'antenne nationale pour diffuser leur opinion, c'est à moi d'être leur porte-parole. Leur jugement est sévère pour ceux qui ont trouvé quelque chose d'utile dans mes travaux. Mais il est juste qu'aucune confiance ne me soit accordée sur la seule foi de mes séjours dans l'Himalaya et de mes rencontres avec des maîtres. L'erreur qui ne se pardonne pas est de faire du relatif l'absolu. Pas plus que le Tome un, ce Tome deux n'a une valeur absolue. Mais je peux promettre le sérieux *relatif* de ces pages et prétendre à une appréciation *relative.*

C'est au lecteur de reconnaître si ce que je dis est vrai ou faux. Je n'ai rien inventé mais ce que je rapporte passe à travers l'instrument que je suis. La question est de savoir quel est le pourcentage d'objectivité impersonnelle et de subjectivité individuelle dans les pages qui vont suivre. Le Bouddha demandait à ses disciples de ne pas le croire sur parole mais de vérifier par eux-mêmes la vérité et la validité de son enseignement. Que ne devrais-je pas dire à cet égard !

Et maintenant : bonne route.

1

RÊVER UN PEU MOINS

Depuis vingt ans maintenant, mon intérêt le plus constant s'est porté vers l'étude théorique et pratique des enseignements qui permettent à l'homme de se transformer. Je me suis beaucoup menti mais je n'ai jamais abandonné la partie. Tout ce que j'ai entrepris d'un peu important — réussite ou échec aux yeux du monde — l'a été en relation avec cette recherche et éclairé par elle. J'ai été divisé, j'ai été sévèrement critiqué, je me suis fait plusieurs fois mal en chemin. Mais je ne me suis plus jamais senti ni perdu ni désespéré.

Pendant ces vingt ans, les enseignements en question sont devenus de plus en plus à la mode. Religion, yoga, ésotérisme, tradition, orientalisme sont les sujets de livres chaque mois plus abondants. En dehors des sectes inconnues et nombreuses, dont seul un scandale révèle de temps à autre l'existence, des mouvements importants naissent, se développent ou retrouvent une vie nouvelle. Les loges maçonniques voient venir à elles des hommes et des femmes mûs par des aspirations spirituelles et métaphysiques autant ou plus que par des préoccupations sociales et politiques. Le catholicisme vacille mais la réalité chrétienne touche profondément bien des êtres qui refusent l'autorité des Eglises. Des enseignements d'origine ou d'inspiration orientale commencent à proliférer et une bonne partie des visas donnés par l'ambassade de l'Inde est demandée par des Français qui se rendent au Bengale ou au Kérala pour y découvrir un « maître » ou y rencontrer celui qu'ils ont élu.

Je me demande combien de milliers de gens sont passés par les Groupes Gurdjieff depuis la mort de Monsieur Gurdjieff — il y a vingt ans. Je pense aussi au Zen, au Védanta, au Soufisme. J'ai connu beaucoup de ces enseignements, beaucoup de ces élèves, jeunes ou vieux, fous ou sensés.

En même temps, une voie proprement occidentale de connaissance de soi, la psychologie des profondeurs, la psychanalyse, la psychologie analytique, n'a cessé de se développer. Entre les psychanalystes et les fervents de la sagesse orientale règne la suspicion quand ce n'est pas la condamnation. Les impitoyables et combien justes critiques de René Guénon en France ou de Julius Evola en Italie contre le monde moderne et sa dégénérescence intellectuelle expriment la sévérité des tenants de la tradition à l'égard d'une science psychologique produit des limitations de la mentalité contemporaine. Inversement les psychanalystes freudiens, les structuralistes, les existentialistes refusent de tenir compte des connaissances dont les élites asiatiques ont fait, depuis trois ou quatre mille ans, leur spécialité et la Science par excellence. J'ai des amis médecins et psychiatres qui se rendent régulièrement en Inde. Ils ne publient pas et n'ont pas acquis de notoriété particulière. Malgré ses découvertes remarquables, Jung, qui a au contraire tant écrit, est tenu en méfiance à la fois par les uns et par les autres. Les psychanalystes freudiens et les psychologues matérialistes lui reprochent ses emprunts aux religions orientales et son « mysticisme », les chrétiens ne lui pardonnent pas sa conception psychologique de Dieu et de l'âme, les disciples réguliers de maîtres traditionnels constatent qu'il n'a jamais approché aucun de ces maîtres et ne parle de l'Indouisme, du Bouddhisme ou du Taoïsme que par ouï-dire, sans avoir fait lui-même l'expérience de ces techniques anciennes, méthodiques et rigoureuses.

Pourtant, une préoccupation commune se retrouve partout aujourd'hui, chez des moines cisterciens comme chez des médecins athées, chez les analystes freudiens comme chez les fervents du yoga : celle de l'expérience vécue. De plus en plus nombreux sont les hommes et les femmes qui ne peuvent se contenter d'une religion faite de dogmes à croire et accepter ou de sciences humaines consistant en notions intellectuelles discutées. Il y a une demande de plus en plus pressante pour des vérités confirmées par l'expérience individuelle intime, des vérités qui puissent être « réalisées » et par lesquelles nous puissions être intérieurement transformés et libérés. Les gens en ont assez de demeurer insatisfaits et anxieux, assez d'idées et de conceptions qui ne changent rien et qui ne résolvent aucun de leurs vrais problèmes.

⁂

Comme jeune homme j'ai été malheureux et désemparé, mais l'idée que tous mes malheurs *tenaient à ce que j'étais* m'est venue assez vite. Mon raisonnement se révélait d'ailleurs très simple : alors que j'allais de drame en déception, je constatais que mon frère paraissait n'avoir aucun problème, réussir tout ce qu'il entreprenait et ne rien désirer de ce que la vie ne lui donnait pas. Ainsi, me disais-je, mon frère a la même hérédité que moi et a reçu la même éducation mais tous mes maux lui sont épargnés; les circonstances extérieures étant les mêmes et les destins si différents, c'est à moi que tient ma difficulté à vivre. Dès lors, je renonçais à me justifier avec la seule chose à laquelle je fusse bon, à savoir les études et les examens, et je me mis à essayer de changer.

J'avais vingt-deux ans lorsque la certitude « Je ne peux rien avoir si d'abord je ne suis pas » s'imposa à moi de façon claire et nette. A cet âge-là j'étais amoureux et malheureux. Comme, en outre, j'étais en conflit ouvert avec mes parents au sujet de ma profession et incapable de me libérer de leur tutelle, il me semblait ne devoir jamais sortir d'un tunnel très noir. Un soir, à côté du métro Sèvres-Babylone, un ami d'enfance que je considérais comme beaucoup plus débrouillard que moi mais pas plus intelligent — sinon que me serait-il resté ? — me dit : « Comment veux-tu que les filles soient amoureuses de toi : elles n'ont personne en face d'elles, rien qu'un amour pour elles mais personne qui les aime. Tu es tellement identifié que tu n'existes plus ». Loin de me défendre ou de me justifier, je fus émerveillé par cette affirmation qui confirmait ce que j'avais pressenti et qui devait décider de toute mon existence. Je reconnus qu'il y avait dans ces paroles un son différent de ce que j'avais entendu jusque-là et que mon ami avait trouvé la clé que nous cherchions pour comprendre ce qui nous arrivait. Le mot « identifié » était nouveau pour moi.

Je finis par savoir que ce camarade avait parlé avec quelqu'un qui lui-même connaissait une personne qui... et c'est ainsi que je rencontrai l'homme qui m'a sauvé, un banquier nommé Bernard Lemaitre, disparu en mer quelques années plus tard. J'appris ensuite que celui-ci avait lui-même été un des plus proches disciples de Gurdjieff. Je me suis séparé des Groupes Gurdjieff au bout de quatorze ans (1964) mais ma gratitude pour Bernard Lemaitre demeure et demeurera toujours aussi profonde.

⁂

Je dois trop moi-même aux enseignements ésotériques hindous, bouddhistes et soufis pour ne pas comprendre l'intérêt que leur portent tant d'Occidentaux. Mais je suis frappé par une constatation qui me semble grave.

Les Occidentaux prétendent au sérieux, à l'efficacité et au rendement et ils ne se privent pas de critiquer les Orientaux pour leur négligence et leur laisser-aller. Quand des experts européens ou américains visitent certaines usines et certains hôpitaux d'Asie, ils en ont des sueurs froides. Aujourd'hui, l'ancien et le nouveau continent, si sous-développés spirituellement et si dépourvus de la véritable intellectualité, semblent devenir à cet égard « en voie de développement ». En Europe, en Amérique, en Australie se créent sans cesse de nouveaux centres, groupes et associations d'obédience ou d'inspiration orientale. Ashram, Zen Meditation Center, Tibetan Mahayana Buddhist Monastery, Yoga Vedanta Institute, Ordre Soufi, Divine Life Society... A tous les coins de rue bientôt on étudiera les Oupanishads ou le Livre des morts tibétain et on pratiquera la méditation. Voilà plusieurs décennies que ce mouvement est commencé et vingt-cinq ans qu'il n'a cessé de s'amplifier.

Bien d'autres avec moi, nous avons approché en Asie même de *nombreux* sages admirables, radicalement différents des êtres humains ordinaires, dont la présence, la compréhension, la liberté demeurent, à travers les semaines puis les années, un sujet constant d'émerveillement et de vénération. Les Tibétains, dans cette génération encore, ont formé des maîtres comme nous des champions sportifs. Je ne suis pas le seul à les avoir vus et approchés. En matière de production de sages, quel est le rendement de tous ces centres occidentaux d'inspiration hindoue et bouddhiste ? Ont-ils donné naissance à un, un seul — je ne suis pas exigeant — Ramana Maharshi, Ramdas, Atmananda, Ma Anandamayi, Kangyur Rimpoché, Dudjom Rimpoché, Sheikh El Allaoui, ou à un seul Padre Pio ? Voilà donc, dans notre Occident si soucieux de rendement, U.S.A., Canada, France, Angleterre, Australie, une activité dont il paraît normal et accepté qu'elle ne donne *jamais* le résultat escompté malgré les milliers de gens qui s'y consacrent.

Il est vrai que le malentendu est immédiat. J'ai vu, dans des pays du tiers monde, des citoyens pleins de bonne volonté ne pas faire très bien la différence entre leur dispensaire de brousse et l'Hôpital américain de Neuilly. Inversement, j'ai vu en France des spiritualistes non moins sympathiques confondre leur gentil amateurisme avec la fantastique réalité qui subsiste encore au Japon, dans l'Himalaya ou au bord du Gange.

« Vous savez, monsieur Desjardins, depuis un an que je ne vous ai pas rencontré, j'ai trouvé ma voie.

— Ah oui, madame ! Quelle joie pour vous. Et quelle voie ?

— Le Zen.

— Non, madame.

— Comment, non ? Je pratique zazen dans un dojo trois fois par semaine pendant deux heures. Et même si c'est difficile pour moi, je ne suis jamais absente. Ce que vous dites n'est pas vrai.

— Si, madame. La voie des moines zen, celle qui conduit au but du Bouddhisme mahayana, l'Etat-de-Bouddha, l'Illumination, consiste à pratiquer zazen non pas trois fois par semaine mais tous les jours et non pas deux heures mais tout le temps, avec seulement quelques interruptions, et ceci dans le contexte bien particulier de la vie monastique et d'une discipline impliquant tous les aspects de l'existence. Dans ces conditions pourtant exceptionnelles et parmi ces moines qui n'ont plus d'autre objectif que cette Illumination, rares, très rares sont ceux qui parviennent au But. Quelle est alors notre espérance à nous, avec une ascèse que nous prétendons être la leur, si nous ne faisons ni la moitié, ni même le quart mais seulement le dixième de leurs efforts et dans un contexte beaucoup moins favorable ? »

Il en est de même pour le hatha et raja-yoga qui se pratiquent toute la journée, dans une grotte ou un ermitage, sous la direction constante d'un maître arrivé lui-même au But.

Il en est de même pour le tantrisme tibétain avec ses trois ans trois mois (minimum) de réclusion, de méditation sur les divinités tantriques et de contrôle des énergies inconscientes dont ces divinités sont les images, sous la supervision rigoureuse du gourou.

Les ashrams, dojos, gompas, etc. d'Europe et d'Amérique reposent sur un immense malentendu et font penser à des Facultés de médecine dont il serait implicite qu'elles ne formeront jamais un seul médecin ou des usines d'automobiles dont chacun ferait semblant d'oublier qu'elles ne produiront jamais une seule voiture.

Alors ? Alors, comme disent les Oupanishads, il y a quelque chose qui ne tourne pas rond.

En dehors des centres animés par des swamis, des rimpochés ou des senseis régulièrement initiés, représentants qualifiés d'une tradition orthodoxe, abondent les maîtres-qui-n'ont-jamais-dit-bien-sûr-qu'ils-étaient-des-maîtres, mais qui sont maîtres ès-confusion par la façon dont ils le laissent dire. En la matière, nul besoin de savoir nager pour enseigner la natation, ni d'avoir compris pour oser expliquer, ni d'être libre pour prétendre libérer.

Alors ? Alors, comme disent les sutras, il y a vraiment quelque chose qui ne tourne pas rond du tout.

Le fait de pouvoir se rendre sur place ne résoud rien : passer deux mois dans un monastère ou un ashram, ce n'est pas y séjourner dix ans. Le dépaysement, l'atmosphère des lieux, l'influence du maître déterminent une série d'impressions nouvelles souvent très profondes. Mais l'ego, un moment décontenancé, s'en empare très vite pour s'enorgueillir d'une dimension nouvelle. L'ego considère que cette sagesse et cette grandeur lui appartiennent. Non seulement il n'a rien dépouillé mais il s'est approprié des valeurs qui lui sont pourtant, en vérité, opposées. Les vrais problèmes psychologiques et spirituels sont d'autant moins résolus qu'ils n'ont même pas été effleurés.

Alors ? Alors, comme disent les tantras, on ne peut pas nier qu'il y a quelque chose qui ne tourne pas, mais pas du tout, rond.

Reste la possibilité, pour certains cas tout à fait exceptionnels, de s'installer sur place et de s'indianiser ou se tibetaniser complètement. Rares sont ceux qui ont pris cette décision et plus rares encore ceux qui s'y sont tenus et que la maladie, les regrets ou le simple jeu de l'action et de la réaction n'a pas condamnés à rentrer dans leur pays au bout de deux ou trois ans.

D'autres ont organisé leur existence de façon à pouvoir se rendre tous les ans en Inde ou au Japon pour un ou deux mois. Mais que peuvent pour eux des enseignements ou des techniques qui exigent une présence continuelle — si on veut les vivre « à part entière » et non en amateur ?

Force m'est de dire, après avoir vécu vingt ans et plus dans le milieu des chercheurs spirituels, qu'on peut avoir sincèrement donné à sa recherche beaucoup de temps, d'énergie et d'argent, pendant dix, vingt, trente ans même, et se retrouver un beau jour en pleine dépression, perdu, angoissé. Je connaissais même quelqu'un qui avait guidé des plus jeunes que lui dans la Voie et que le désespoir a conduit au suicide.

⁂

Alors ? Alors faut-il brûler tous les livres sur l'Hindouisme ou le Bouddhisme, n'aller en Inde que pour voir le Taj Mahal au clair de lune, limiter strictement le yoga à des exercices contre la constipation — et boire un bon coup là-dessus pour oublier nos rêves défunts et nos illusions perdues ?

Il faut regarder les choses en face — du moins pour ceux que la vérité concerne avant toute autre préoccupation. La connaissance de soi, l'éveil, la mort à soi-même, la nouvelle naissance, la libération *exigent une consécration absolue, totale et sans réserve de tout nous-même. La forme la plus sûre et la plus réaliste de cet engagement est l'acceptation de l'autorité d'un maître.* Encore faut-il un maître digne de ce nom et dont la méthode d'enseignement soit compatible avec notre mentalité et nos conditions de vie d'Occidentaux du XXe siècle, autrement dit *dont la méthode utilise ces conditions extérieures d'existence et la déformation de notre monde intérieur pour faire de ces deux pôles de notre prison les instruments même de notre libération.*

Méditation ou pas, grâce du gourou ou pas, états supérieurs de conscience ou pas, le psychisme, le mental, les émotions de l'Occidental contemporain s'enracinent dans la volonté de puissance, la sexualité, l'infantilisme et se nourrissent des influences, des idées, des impressions les plus malsaines qui soient. Intellectuellement, artistiquement, moralement, spirituellement, psychologiquement, sexuellement, le monde moderne représente une dégradation dont les contemporains auraient honte s'ils n'en étaient pas les victimes inconscientes. Les enseignements traditionnels hindous, bouddhistes, soufis, le tantrisme, l'alchimie, le christianisme ésotérique sont les expressions d'une culture et d'une civilisation normales, conformes aux lois cosmiques. C'est dans un monde anormal, violant les principes éternels et universels, que nous, Occidentaux d'aujourd'hui, devons les appliquer et en faire notre profit. Une adaptation est indispensable mais cette adaptation ne doit pas être une trahison, une édulcoration, une invention de nos esprits livrés à eux-mêmes.

Deux dangers nous guettent : ramener la vie spirituelle à une psychothérapie matérialiste : « Si Jean de la Croix avait liquidé son complexe paternel et si Thérèse d'Avila avait fait un peu plus l'amour, il y aurait moins d'hystériques dans les couvents » — et nier la réalité psychique au nom du Divin ou du Surnaturel : « Ce ne sont que des phénomènes, ombres passagères sur l'absolu du Soi *(atma)* ou du Vide *(shunyata)* ». Le monsieur qui s'est suicidé, il s'était donné beaucoup de mal pour s'en sortir et je trouve triste de savoir que d'autres que lui se tromperont et seront tués par de « simples mirages ».

Quant aux tentatives de conciliation de la psychologie moderne et de la Connaissance traditionnelle, elles consistent presque toujours à expliquer le plus par le moins, le surhumain par l'humain, le supraconscient par l'inconscient et l'héritage d'une sagesse transcendante par les découvertes d'un mental enfermé dans ses limitations. Tout ce qui est dû à la conscience objective est attribué à un inconscient indifférencié et on finira par dire que le Bouddha, Nagarjuna ou Bodhidharma en savaient moins long que Freud ou Jung sur les profondeurs et les mystères de la psyché.

Des enseignements et des mythes qui sont les expressions de la conscience et de la compréhension les plus hautes, par exemple le symbolisme de la Mère ou de l'union sexuelle, se voient ramenés à de simples manifestations de l'inconscient et à des « projections ». Il faut n'avoir jamais parlé avec de véritables maîtres traditionnels pour oublier que ceux-ci sont intérieurement libres, *enlightened*, éclairés, possédant la connaissance *all embracing*, qui inclut tout, y compris l'inconscient et le supraconscient. Je juge l'arbre à ses fruits et les enseignements aux sages qu'ils ont produits, auprès de qui j'ai vécu, que j'ai observés jour après jour pendant des mois. Mais je ne méprise pas la psychologie. Je dis même que si beaucoup de « spiritualistes » la décrient avec tant d'acharnement, c'est parce qu'ils ne veulent pas voir leur vérité et mettre de l'ordre en eux-mêmes et qu'ils préfèrent recouvrir ce désordre intérieur par un rêve de sérénité et d'expériences transcendantes.

Ce livre est lui aussi une tentative pour rapprocher deux mondes. Il complète ce que j'ai écrit dans mes précédents ouvrages, en particulier le Tome I de ces « Chemins de la sagesse » et, autant que faire se peut, j'éviterai de me répéter. C'est le fruit d'années de voyages et d'expérimentation « ici et là-bas » et d'informations moissonnées auprès de bien des gourous puis coordonnées par l'enseignement de mon propre maître : l'adhyatmayoga, dans la ligne du vedanta advaïta.

⁂

Je souhaite qu'une terminologie souvent occidentale et moderne ne fassent pas oublier l'origine orientale et traditionnelle de ce qui va suivre. Cette fois-ci encore, j'éviterai d'employer trop de mots sanscrits et, quand un vocabulaire de psychologie est passé dans le domaine public, je n'hésiterai pas à l'utiliser. J'indiquerai parfois les termes anglais dans lesquels les enseignements hindou et tibétain m'ont été donnés. Utiliser une autre langue que la sienne évite bien des automatismes de pensée et toutes les résonnances affectives des mots auxquels on est trop accoutumé. Certaines idées sont beaucoup mieux exprimées par une grammaire et une syntaxe que par une autre. Quant aux termes sanscrits, ils ont un sens technique précis. De même qu'un Tibétain qui étudie l'électricité doit utiliser « watt », « amps » (ampères), « volts » et non les mots tibétains signifiant flux, énergie, puissance, les mots âme, esprit, conscience... ne traduisent jamais rigoureusement le sanscrit.

Depuis longtemps les maîtres hindous s'exprimant en anglais ont désigné par *manifested* et *unmanifested* les deux notions de conscient et inconscient. Pour les sages ce que nous appelons *consciousness,* conscience, et *conscious,* conscient, ne justifient pas ces noms. Le plan de perception des phénomènes sur lequel vit l'homme qui n'a pas commencé à s'éveiller ne mérite certainement pas d'être appelé conscient et il est désigné parfois par « sommeil », parfois par « le troisième état », les deux premiers étant le sommeil nocturne sans rêve et les rêves. Ce troisième état est souvent nommé « conscience de veille » mais la véritable Conscience c'est le quatrième état, en sanscrit *turya*. Je ne veux pas compliquer cette question de vocabulaire. Pour être rigoureux, je devrais aussi utiliser les termes techniques arabes du soufisme *(taçawuf)* et ceux du bouddhisme mahayana tantrique, où les mêmes mots sanscrits n'ont pas le même sens que dans le vedanta hindou.

Une part de mon travail depuis quinze ans a consisté à préciser et comparer le sens profond des termes utilisés dans les différentes Traditions que j'ai étudiées. Je dois insister et attirer l'attention sur l'importance et les dangers du langage en la matière. Pensons simplement à la confusion que représentent en français, des mots comme âme, esprit, etc. Il n'y a qu'à prendre un dictionnaire philosophique et constater la variété des définitions. Pour certaines connaissances orientales nous n'avons aucun équivalent exact dans notre vocabulaire. On devine quel inextricable embrouillamini peut produire la comparaison de différentes traductions de textes hindous et bouddhistes avec nos propres conceptions. Il faut bien dire que l'intellectualisme contemporain se contente très facilement de mots auxquels ne correspond aucune expérience ni certitude personnelle. Parce que les termes conscient et inconscient sont maintenant chez nous d'usage général, je les utiliserai au lieu de manifesté et non-manifesté mais je tenais à dire que le mot même de conscient est déjà un piège. C'est d'ailleurs en partie parce qu'il y a un inconscient qui n'a pas été mis à jour et intégré que le pseudo-conscient est indigne du nom de conscience.

⁂

Je serai souvent amené à distinguer l'Orient et l'Occident et je dois, à ce sujet, donner certaines précisions indispensables. Fondamentalement la nature humaine est partout la même. « Dieu a créé l'homme », au singulier. Certes un Italien n'est pas un Suédois, un Marseillais n'est pas un Breton, un Chinois n'est pas un Congolais. Mais un Français est plus proche d'un Hindou qu'il ne l'est, par exemple, d'un Allemand. Si l'on peut opposer Orient et Occident, c'est de façon contingente et historique. Par rapport à l'Orient traditionnel, l'Europe médiévale de Vézelay ou de Saint Jacques de Compostelle est plus « orientale » que n'importe quel pays d'Asie aujourd'hui. Il y a un fond commun à la Chine taoïste, le Tibet bouddhique, la Perse chiite, l'Afghanistan sunnite, l'Inde « éternelle », celle des *shastras* et de la Gita.

A ce fond commun s'oppose en tous points la société moderne dite de consommation, dont nous sommes des produits autant que les shampooings et les autos. La dégénérescence actuelle des pays d'Orient, qui ont perdu jusqu'à la compréhension de leur propre culture appréciée et interprétée maintenant à travers les préjugés modernes, ne nous convainc guère de leur supériorité. D'ailleurs ils cherchent tous à nous imiter et à copier notre civilisation technique. Plutôt qu'opposer Orient et Occident il serait plus exact de confronter « moderne » et « traditionnel », dans l'acception que René Guénon a fait prévaloir. Onze ans de séjours en Asie m'ont confirmé à quel point Guénon avait raison. Aussi audacieuses ou déroutantes que soient ses affirmations, elles sont devenues pour moi des convictions personnelles. Pourtant le lecteur voudra bien me concéder que je n'ai pas fui à jamais mon Europe natale et que j'y exerce — à ma façon — la profession tout à fait moderne de producteur et réalisateur à la Télévision. Simplement j'ai décidé, depuis 1959, d'exercer mon métier de manière artisanale car j'ai acquis la certitude que l'artisanat et un certain travail manuel sont une part de la Voie. J'ai connu de grands soufis qui étaient orfèvre ou tailleur, des maîtres tibétains qui étaient peintres et la plupart des sages hindous font admirablement la cuisine. La caméra et le micro sont devenus mes propres outils.

J'ai assez voyagé et travaillé en Asie pour connaître et comprendre tout ce que les Occidentaux reprochent à l'Orient et ne pas refuser leurs critiques ou leur indignation. Mais j'affirme que l'Orient a conservé jusqu'à aujourd'hui une connaissance ou une science qu'on ne trouve nulle part ailleurs de façon aussi complète. Je ne donne ni l'Inde, ni l'Afghanistan, ni le Bhoutan en exemple et je suis d'accord avec le mal que certains voudront en dire. Les Hindous comme les Français ont des défauts et des qualités, des qualités plus grandes et des défauts pires. Si j'aime l'Inde cela ne regarde que moi. Mais même si l'Inde ou mon cher Afghanistan étaient des pays aussi décevants et corrompus que certains le disent, cela ne changerait rien à ma constatation. Si je veux étudier la science de l'envoi de capsules spatiales dans la lune, je dois me rendre aux U.S.A. même si je désapprouve le racisme et la guerre au Viêt-Nam, même si je trouve que les mâles américains se laissent mener par leurs femmes, même si je dis que les leaders syndicaux sont « pourris ». Certaines recherches biologiques sont l'apanage des Soviets et, si je veux m'y initier, je dois me rendre en Russie, même si je m'indigne contre les camps de Staline, la Hongrie de Khrouchtchev, les blindés tirant sur les Tchèques. Les études pratiques en matière de réalisation du Soi, éveil de la Conscience, identité avec la Réalité ultime ne peuvent être effectuées qu'auprès de Maîtres hindous ou tibétains ou, parfois, soufis. Il n'est plus question d'Orient et d'Occident mais de vrai et de faux, de connaissance et d'ignorance. Si, après tant de recherches en Europe, j'avais pu trouver chez nous ce que je trouve là-bas, je me passerais très bien de la chaleur, des moustiques, des matelas trop durs, de la nourriture des ashrams, de la fatigue, de l'éloignement, du prix des billets d'avion... et de tout le pittoresque.

⁂

En dehors des centres privilégiés de pratique de la *sadhana* (ascèse, discipline spirituelle), que ce soient certains ashrams hindous, gompas ou ermitages tibétains, khanakas soufies, l'Orient conserve, ici et là, des vestiges toujours vivants d'une autre conception de l'homme et de la vie : art, musique et danse, organisation de la famille, hygiène et alimentation, et autres applications des connaissances ésotériques de l'existence quotidienne de tous. Si nous sommes assez dépouillés de nos conditionnements et de nos préjugés pour percevoir ces réalités d'un autre âge, nous éprouvons une impression de beauté et de noblesse, un sentiment de joie et surtout de paix auxquels nous avions renoncé depuis longtemps. C'est soudain le témoignage d'un autre monde, un monde où tout est clair, où tout est vrai. Ce monde plus juste, plus harmonieux, je l'ai rencontré dans l'Inde, l'Himalaya, l'Hindukush et je l'ai cherché tant que j'ai pu en Normandie et en Provence, à Paris et en province. Chaque fois que, parmi des Tibétains, des Hindous, des Musulmans, j'ai reconnu ce monde plus juste et plus beau, *où l'extérieur est à la fois l'expression de la vérité intérieure et le chemin qui y conduit*, j'ai su : C'est dans ce monde que je dois vivre, c'est de ce monde que je peux indiquer les portes à ceux qui en ont la nostalgie.

Ce monde est l'application de la grande loi : *sarvam annam*, tout est nourriture. Ce que nous sommes est l'expression subtile de ce dont nous nous nourrissons. Nous ne sommes pas nourris seulement d'aliments végétariens et non-végétariens, mais de toutes les vibrations sonores et visuelles, de toutes les impressions que nous incorporons : proportions des architectures, union des formes et des couleurs, harmonies et rythmes de la musique, et toutes les idées qui nous touchent. Absorbés machinalement et sans attention réelle à longueur de journée, ces apports ont constitué notre être et continuent à le constituer. C'est notre être qui attire les événements de notre vie et c'est notre être qui évolue ou qui involue, qui se libère ou qui demeure prisonnier, qui s'unifie ou qui reste contradictoire. Dis-moi de quoi tu te nourris et je te dirai qui tu es et qui tu seras.

La nourriture permet la croissance. Que l'enfant doive manger pour grandir, tout le monde est d'accord. Le corps physique et les pensées « sécrétées par le cerveau comme le foie sécrète la bile » constitue un ensemble de fonctions, *body-mind complex.* Le corps réagit sur la pensée et les émotions, la pensée et les émotions réagissent sur le corps. Un jour le corps mourra et le cerveau se décomposera. Les aliments sont précieux aussi bien pour ce corps et son énergie physique que pour sa capacité à penser. Calcium, phosphore, magnésium, protéines, hydrates de carbone, oligo-éléments et ces aliments particuliers que sont les médicaments agissent sur les différentes fonctions qui peuvent être stimulées ou assoupies.

Comment, par quelles nourritures, allons-nous rendre possible la véritable croissance, celle de l'intelligence supérieure *(buddhi),* du sentiment supérieur *(l'amour universel)* et du « corps immortel » ?

Notre être est le résultat de toutes les impressions que nous avons perçues, de tous les événements que nous avons vécus. Chacun est à peu près d'accord aujourd'hui qu'un « traumatisme » peut affecter profondément l'être d'un enfant et que cette marque persistera à l'âge adulte. Nous admettons qu'une blessure laisse une cicatrice sur notre être physique, un drame une cicatrice sur notre être psychique. Mais nous devons comprendre que cette influence de l'extérieur sur la qualité même de notre être est toujours active. Une mère qui a perdu son bébé n'est plus la même, une jeune fille qui a aimé pour la première fois n'est plus la même. Mais aussi une mère qui a regardé une fois un simple mur jaune ou un simple mur vert, une jeune fille qui a écouté une fois la Cinquième symphonie de Beethoven ou qui a vu une fois West Side Story ne sont plus les mêmes, ni celui ou celle qui a lu un roman, participé à une conversation, pensé à un sujet quelconque, et cela indéfiniment de seconde en seconde.

Cette science des impressions, de leur digestion et de leur assimilation est la science ésotérique par excellence.

Elle est impossible à diffuser par des livres ou des conférences. Elle ne se transmet justement que d'être à être. Même si on me donne les proportions et dimensions exactes d'un édifice sacré, le détail des matériaux à utiliser, je n'aurai pas compris pour cela. Par contre tout le monde ressent plus ou moins la différence d'atmosphère que créent l'architecture de Notre-Dame et celle de l'Opéra. On commence à étudier « scientifiquement » l'influence sur l'organisme des vibrations sonores et lumineuses. Certains sons énervent, d'autres apaisent, certaines couleurs excitent l'appétit, d'autres donnent de l'ardeur au travail. Mais quant à savoir *quelles combinaisons de sons et de couleurs, de rythmes et de formes aident l'homme à s'éveiller ou le maintiennent dans le sommeil*, seuls le peuvent ceux qui ont déjà une expérience personnelle de l'éveil dont il s'agit et de la transformation possible des états de conscience. Nous sommes tellement influencés, intoxiqués, suggestionnés, hypnotisés par le monde dans lequel nous avons vécu jusqu'à aujourd'hui et qui a, en effet, constitué peu à peu notre être, que la découverte d'un autre ordre de lois est une longue entreprise au cours de laquelle — j'en parle en connaissance de cause — nous devons parfois « brûler ce que nous avons adoré et adoré ce que nous avons brûlé ». Petit à petit, et cela ne peut se faire que par expérience individuelle, une nouvelle perception, un sens nouveau, s'affirme et s'affine en nous.

Aujourd'hui, la plupart des gens ne ressentent même plus la différence entre l'art religieux et l'art sacré et appelent art sacré ce qui n'en est certainement pas. Il ne suffit pas de peindre des sujets religieux pour faire de l'art sacré, ni de dire qu'on a bâti une église pour avoir bâti une église. N'importe qui, selon ses propres émotions et opinions individuelles, peut concevoir et faire construire un lieu de culte qui ne répond plus à une seule des lois objectives de l'art sacré. Pour faire de l'art sacré, il n'y a que deux voies : être soi-même parfaitement libéré de tous ses conditionnements, autrement dit être un sage, ou suivre rigoureusement les canons prescrits par les sages.

Si l'art est la compensation de la névrose, si l'artiste exprime des émotions infantiles réprimées, si l'artiste est « endormi », ses œuvres d'art ne conduiront pas à l'éveil, même s'il les intitule « temple »,

« salle de méditation », ou « musique sacrée », « oratorio », « messe » ou « crucifixion » ou « mandala ». Le véritable sens de l'art conscient a disparu.

La société humaine est un vaste champ de bataille où sont confrontés les ténèbres et la lumière, l'irréel et le réel, l'involution et l'évolution, le mensonge et la vérité, la souffrance et la sérénité. Les émotions individuelles sont les alliées toutes-puissantes de l'aveuglement. Tout art fondé sur les émotions de l'artiste excite et nourrit celles des spectateurs ou auditeurs et, *du point de vue de l'éveil, agit comme un hypnotique.* « Les aveugles conduisent les aveugles », disait le Christ. Les endormis bercent les endormis. Je sais le drame personnel que ceci a représenté pour un certain nombre de peintres, musiciens, écrivains... à commencer par moi. Tôt ou tard, le moment d'un choix vient toujours — si l'engagement dans la Voie n'est pas un rêve de plus.

Au contraire, dans une civilisation traditionnelle, ce n'est pas seulement le lieu de culte ou le rite qui expriment le sacré, mais toute l'existence dans ses moindres détails depuis la cuisine à la façon de se coucher, en passant par les jeux et les fêtes, le travail et le métier, la sexualité et les différentes sciences. Il subsiste en Orient des restes de civilisation traditionnelle en conformité avec les lois universelles : de la vraie musique, des vraies fêtes, un ordre, une harmonie, une justesse, un cadre et des conditions de vie qui permettent la croissance intérieure et la liberté intérieure *au lieu de les interdire.*

Les émotions et sensations ordinaires sont liées au plan physique, c'est-à-dire au plan le plus grossier, où les limitations et conditionnements individuels se font le plus lourdement sentir. Tant que ces émotions et sensations se manifestent, elles ne laissent aucune place aux perceptions et expériences d'un niveau supérieur. En soi ces états de conscience ordinaires ne sont pas critiquables, si ce n'est qu'ils impliquent leur opposé : malaise, peine, souffrance. Pour les susciter ou les intensifier, les gens s'agitent à longueur de journée et dépensent beaucoup d'argent. Mais ce sont eux qui nous frustrent des sentiments et des bonheurs supérieurs. Tout le monde a connu exceptionnellement, des moments « divins ». Leur souvenir est inoubliable. Pour que ceux-ci deviennent peu à peu l'essentiel de nos existences, nous devons donner en échange les satisfactions habituelles auxquelles nous nous cramponnons. Nous ne pourrons abandonner celles-ci que si nous comprenons tout ce qu'elles nous font perdre. Les joies médiocres ne sont jamais le chemin des joies spirituelles. Elles en sont, au contraire, l'obstacle principal.

Quiconque a compris qu'il était responsable de son destin, de son progrès personnel, de la transformation de son être, cherche à mettre tous les atouts dans son jeu, à réunir les conditions les plus favorables. Mais la meilleure bonne volonté ne suffit pas. Comment celui qui dort peut-il s'éveiller lui-même ? Quelle expression de la Connaissance, l'ignorance est-elle capable de concevoir ? Nous devons d'abord être convaincus qu'à chaque seconde ce que nous percevons ou faisons contribue à constituer notre être. Si d'un côté, je lutte pour grandir et me transformer et que, d'un autre, je me soumets à des influences qui me maintiennent au niveau ordinaire, physique, de la vie, je ne peux pas accéder aux plans ou aux états supérieurs de l'être. Sur des centaines de glands tombés à terre combien donneront un chêne ? Sur des milliers d'êtres humains pourvus d'un corps mortel combien deviendront des Hommes véritables, des Sages, qui ont transcendé le corps physique et vivent sur un plan infiniment plus subtil ou raffiné ? Nous sommes plus compétents pour raffiner du pétrole que pour nous raffiner nous-mêmes.

⁂

C'est dans l'enseignement Gurdjieff puis en Orient que j'ai appris à percevoir la différence profonde — plus même : fondamentale, radicale — qu'il y a entre des cadres de vie, des décors, des harmonies visuelles, des musiques, des gestes ou des attitudes, des façons de parler ou de placer sa voix, etc., qui peuvent paraître comparables ou du même ordre mais qui, au contraire, répondent à deux ordres de lois absolument différents : celui de l'illusion et celui de la conscience.

Lors de mon second séjour en Afghanistan en 1960, après la traversée du Koh-I-Baba par la « route du centre », nous sommes arrivés à Tchecht. J'étais accompagné par un ami de Kaboul qui ne partageait pas mes intérêts spirituels et avec qui j'avais renoncé à parler des soufis et des tarikats (confréries). Comme nous marchions tranquillement je fus frappé par un arbre autour duquel se trouvait une petite plate-forme et je ressentis une impression très intense, d'une qualité que je connaissais déjà. Une porte venait de s'ouvrir sur cet autre monde à la réalisation duquel je me suis consacré. Ma conviction était si forte que je demandai à mon compagnon de s'informer si on savait quoi que ce soit de particulier sur cet arbre et ce lieu. Après enquête, il m'apprit qu'un maître soufi célèbre y recevait autrefois ses disciples et ses visiteurs. A ce moment j'ignorais que Tchecht s'appelle en fait Tchecht-I-Shariff, c'est-à-dire Tchecht la ville sacrée.

Sept ans plus tard, alors que les portes du taçawuf s'ouvraient enfin devant moi, avec un autre ami, un autre frère musulman, en pénétrant dans un édifice délabré qui n'abritait que des oiseaux et dont l'état déplorable ne laissait deviner aucune architecture particulière, je ressentis la même certitude. Effectivement ce local avait été le lieu de réunion d'une tarikat et on me fit remarquer sur les côtés des cellules où les soufis pouvaient pratiquer la retraite de quarante jours appelée tchella. Il n'y a aucun moyen technique ordinaire qui permette de déceler la présence ou l'absence du sacré dans un lieu ou un objet. C'est une question de longueur d'ondes à laquelle on est ou on n'est pas éveillé. C'est le fruit de la croissance intérieure et de la méditation.

En dehors des lieux destinés spécialement à l'ascèse auprès d'un maître, le cadre de la vie quotidienne elle-même obéit ou non aux lois de l'harmonie. Dans une maison indienne de construction moderne où l'architecture comme l'ameublement avaient perdu tout caractère traditionnel, le seul lieu qui fût encore conforme à l'ordre juste des choses était la cuisine et la préparation des aliments y était pratiquée à peu près selon les règles anciennes. Une jeune femme parisienne, venue en Inde pour y étudier auprès d'un maître et plus habituée à nos belles cuisines modernes qu'aux foyers en terre et aux récipients de village, fut frappée par la beauté qui, pour elle, se dégageait de cette humble pièce où une *ma* (mère) et un jeune serviteur mêlaient les épices aux légumes, talkaris et currys. Cette perception de l'ordre juste, certains la possèdent et d'autres ne l'ont pas. Parfois elle a été formée dès l'enfance si celle-ci s'est déroulée dans un monde encore conforme à la Tradition. Elle s'acquiert à mesure que s'affine notre propre appréciation de la qualité des impressions en fonction de l'accès aux niveaux supérieurs de l'être. Cette connaissance intuitive est indispensable sur la Voie. Dans le prochain chapitre je vais essayer d'expliquer la conception ésotérique de l'être telle qu'elle se révèle à ceux qui dépassent le monde des apparences. On verra comment l'être est le produit des réactions entre les influences extérieures et les données intérieures, comment cet être se constitue, dégénère ou se régénère à *chaque instant.*

Nous *sommes* le résultat du cadre dans lequel nous avons vécu, des amis que nous avons rencontrés, des récits que nous avons lus. Nous nous faisons à tout moment. Cela, l'homme ordinaire ne le sait pas. Il pense qu'il *est* Untel et que Untel fait ceci, voit cela, dit ceci, entend cela, sans en être particulièrement affecté. C'était « moi » il y a dix ans, c'est « moi » aujourd'hui, ce sera « moi » demain. Non. De seconde en seconde nous sommes autre, nous involuons ou évoluons. C'est dire notre dramatique responsabilité vis-à-vis de nous-même si nous ne voulons pas manquer complètement le but et le sens véritables de l'existence humaine. Nous sommes, dit l'Inde, le « résultat subtil de la nourriture ». Mais aussi : *sarvam annam,* « tout est nourriture ». Sur ce point l'Orient, malgré sa déviation, a encore quelque chose à nous apprendre. Mais il faut faire vite, car des connaissances précieuses sont en train de se perdre et de s'oublier. En ce qui concerne architecture, peinture et sculpture, c'est fini en Inde. Restent la musique et la danse. Les Tibétains et Bhoutanais ont, à cet égard, mieux préservé leur héritage traditionnel.

Parmi les Tibétains comme chez les Bhoutanais, des sculpteurs, aujourd'hui encore, modèlent les mêmes statues des mêmes divinités tantriques, selon les mêmes canons immuables d'un art vieux de plus de mille ans. Les Occidentaux disent volontiers que c'est là un art qui n'a pas conquis sa liberté et des artistes qui doivent gagner leur indépendance. Pourtant c'est un art dont tout le but et toute la signification sont de mener à la Libération par la connaissance des forces à l'œuvre dans l'univers et au plus profond de l'inconscient de chaque homme. De même aucun peintre de thankas ne cherche à exprimer dans ses œuvres son monde subjectif de goûts, de joies, de peines, de passion ou de révolte. La composition des thankas obéit à des lois très strictes transmises de père en fils ou de maître à disciple à travers les siècles, des lois dont l'origine n'est pas l'invention d'un homme mais la découverte d'un Sage d'autrefois à qui elles ont été révélées, dévoilées dans ses méditations.

Autant que les livres, ces œuvres, exécutées avec tant de rigueur, transmettent un enseignement. Mais on ne les lit pas seulement avec l'intellect. Elles parlent directement à un niveau beaucoup plus profond de nous-même et qui demeure inconnu, inconscient, pour l'homme qui ne l'a pas éveillé en lui, rendu manifeste et intégré. Certains thankas représentent des images accessibles à tout Bouddhiste, même non Tibétain. D'autres sont des peintures tantriques dont l'accès véritable demande une préparation qui n'est donnée que dans le cadre d'initiations très strictes. Parce qu'elles ne sont pas faites seulement pour le plaisir des yeux mais qu'elles détiennent certaines clés d'accès à une vie transformée, parce qu'elles parlent le langage de la sagesse, les thankas sont conservées, manipulées, contemplées avec un immense respect. Celui qui a pu acquérir une de ces peintures sur soie, après l'avoir fait encadrer de brocarts aussi beaux que ses moyens le lui permettent, l'apporte à son maître pour la faire bénir et consacrer.

La musique hindoue est soumise à l'ordre strict des ragas : on ne joue pas et on n'écoute pas n'importe quelle musique à n'importe quel moment. L'audition d'une mélodie s'insère dans l'ensemble des conditions universelles : saison, heure de la journée, sentiment particulier, circonstances et environnement.

L'homme moderne s'est retourné contre la Nature, dans laquelle il s'insère, aussi follement que si un foie ou un rein voulait se rendre indépendant de l'organisme dont il est une part. Après s'être coupé de la vie universelle, l'homme prétend imposer ses lois à celle-ci et l'asservir aux exigences de son mental.

On ne peut pas dire que ce soit une réussite en ce qui concerne son bonheur véritable.

Des savants de toutes les disciplines lancent des cris d'avertissement de plus en plus dramatiques. Mais si notre « Civilisation » court à sa ruine ce n'est pas seulement pour des raisons biologiques, physiques, sociologiques. La cause de la crise du monde moderne est avant tout métaphysique.

2
DEVENIR CE QUE NOUS SOMMES

La métaphysique orientale, longtemps résolument ignorée par les philosophes de profession, trouve maintenant accueil auprès d'une assez vaste audience. Les notions de *karma* (les actes et leurs conséquences), de *maya* (généralement traduit par « illusion »), de *samadhi* (état de conscience libéré des catégories du temps, de l'espace et de la causalité) sont prises au sérieux par beaucoup. Cette métaphysique nous enseigne aussi que nous vivons en aveugles dans un monde irréel et illusoire, que nous sommes prisonniers de l'Ignorance, que nous « dormons » et que de là viennent tous nos maux et toutes nos souffrances. Au passage, nous reconnaissons certaines déclarations qui nous paraissent bien proches de celles du Christ.

Ces affirmations sont présentées comme des vérités dont nous pouvons faire l'expérience personnelle immédiate, l'expérience « libératrice ». Elles ont pour elles le prestige de l'ancienneté et ce que les *rishis*, les Sages des Oupanishads, enseignaient il y a trois mille ans à leurs disciples est transmis, aujourd'hui encore, par des maîtres eux-mêmes « libérés ». Ces enseignements, nous, Occidentaux, les découvrons avec une mentalité qui s'est formée dans un monde absolument différent. Comment en faire notre profit sans nous déguiser en Orientaux et sans commencer notre recherche de la vérité par le mensonge qui consisterait à renier ce que nous sommes ? Je voudrais essayer de montrer en quoi cette tradition, apparemment étrangère, nous concerne personnellement.

⁂

Toutes les doctrines orientales enseignent comment se libérer de la souffrance. La souffrance provient toujours du refus des faits. Je voudrais ceci; ceci ne se produit pas; je refuse le fait que ceci ne se produit pas et je souffre. Ou, inversement, je crains cela; cela se produit; je refuse le fait que cela se produit et je souffre.

Pour s'éveiller à la Réalité, le fait fondamental à accepter est celui de la transformation incessante de toutes choses. On peut l'exprimer comme on veut, en vers, en prose, en charabia philosophique, on peut dire que « rien ne dure », que « tout est transitoire », ou, avec une consonnance bouddhique, que « tout est impermanent ». Le fait est là. Ce que nous appelons l'être, c'est le devenir, le flux, le courant, le jeu perpétuel de la création et de la destruction, à l'infini.

Les êtres humains qui nous entourent, ceux que nous aimons et ceux que nous détestons, ne sont que des processus de changement et celui ou celle dont nous nous sommes senti si proche il n'y a qu'un instant est déjà devenu un autre ou une autre.

Cette instabilité, ce caractère éphémère de toute la création échappent à l'homme ordinaire. C'est en cela essentiellement que consiste l'Ignorance, dont les Orientaux font la source de tous les maux. Nous nous trompons et croyons à un monde solide et tangible. Cette ignorance a, comme corollaires immédiats, l'attachement et la dépendance. Nous voulons pouvoir compter sur ce qui nous importe. Nous voulons que nos biens soient « durables », s'agisse-t-il d'un pneu de voiture ou d'une paire de chaussures. Nous voulons que certains instants bénis se prolongent éternellement. Nous voulons que les êtres qui nous entourent demeurent les mêmes. Cela constituerait sûrement un monde rassurant. Mais cela n'est pas. Rien ne reste jamais identique à soi-même. Par conséquent l'adaptation parfaite à l'impermanence générale est la condition *sine qua non* d'un bonheur et d'une paix qui soient, eux, « durables ».

Il ne faut pas une préparation particulière pour constater que les gens vieillissent et que tombent les feuilles des arbres. Mais, dans un certain état de conscience ou de vision de la réalité, il est possible de percevoir que toute la création est en mouvement, de percevoir la mort et la naissance simultanées de chaque élément composant chaque objet et chaque personne. Cette expérience se situe au-delà du temps, dans l'éternel présent, puisque toute durée de quoi que ce soit en a disparu. Le temps n'existe que pour ce qui demeure, pour celui qui croit qu'il demeure pareil à lui-même, pour celui qui croit que les choses demeurent autour de lui : j'ai été, je suis, je serai. Le chemin vers la libération du temps passe par la destruction de cette ignorance qui nous rend aveugle au changement et à l'instantanéité ou, plus exactement, à l'absence même de tout instant et de tout point d'appui fixe.

Ceci n'est pas une conception métaphysique mais l'expérience vécue d'innombrables sages, yogis et disciples dans ces états supérieurs de conscience auxquels Bouddhistes comme Hindous donnent le nom de *samadhi.*

Le terme même de changement peut conduire à une fausse compréhension, comme s'il existait à un certain moment une réalité qui se transforme en une autre réalité perceptible à un moment ultérieur, une entité puis une autre entité. Non. Le processus ne s'arrête jamais. Il n'y a que mouvement, que dynamisme. Il n'y a que le changement mais rien qui change. C'est en ce sens seulement qu'il n'y a ni temps ni durée.

L'homme n'est jamais identique mais il n'est pas non plus différent. « On ne se baigne jamais deux fois dans le même fleuve ». Pourtant la Seine est toujours la Seine. « Ni le même, ni un autre », disent les Bouddhistes, illustrant ce paradoxe par le célèbre exemple de la flamme d'une lampe à huile allumée toute la nuit : est-ce la même flamme qui brûlait le soir et qui brûle à l'aube ? On peut donc parler de continuité du courant et de lien ou de succession entre les causes et les effets, même s'il n'y a « personne » pour produire une cause et « personne » pour récolter les effets.

Si l'on considère ces affirmations comme des idées philosophiques, elles ne peuvent paraître que vaines et confuses. Il s'agit de tentatives pour décrire en mots la vérité, une vérité qui peut être vécue et expérimentée comme un véritable éveil.

Mais le mental pose tout de suite une question : « Si rien n'existe, qu'est-ce qui, selon les Orientaux, se réincarne ou transmigre ? » Pauvres Orientaux : en fait ils sont d'accord, mais ils ne l'expriment pas tous de la même façon. Ensuite les disciples qui s'en tiennent à la lettre des paroles se lancent l'anathème d'une secte à l'autre. Et cela peut durer — cela dure — deux mille cinq cents ans. Ce qui se réincarne, c'est la continuité des courants de pensées et d'émotions, la continuité de désirs. C'est cette continuité aussi qui produit la mémoire.

Quand on parle de la France ou du peuple français, peut-on dire que cette France et ce peuple sont les mêmes qu'il y a cent ans, deux cents ans ? Non. Pourtant il y a bien une France et un peuple français. Les Italiens du XXe siècle sont-ils les mêmes que les Romains d'il y a deux mille ans ? Non. Pourtant l'Italie existe en continuation de la Rome antique, même si aucun élément n'est demeuré le même. Il en est de même dans la chaîne des incarnations successives, mais la continuité est celle d'un désir et d'un attachement individuel et non collectif.

Notre moment de conscience actuel est la continuation de notre moment de conscience précédent, lequel était la continuation, etc. Par conséquent, notre moment de conscience actuel, d'une certaine façon, a déjà commencé il y a longtemps, infiniment longtemps, dans un passé sans commencement. Et déjà il prépare le prochain moment de conscience et celui qui viendra dans longtemps, longtemps, dans un avenir sans fin. Sans fin sauf si intervient, justement, la Libération ou le nirvana. Mais en même temps, pour l'inconscient et pour le supraconscient, tout existe dans la simultanéité et l'éternité, tous les courants sont perçus entièrement depuis leur origine.

Ces dynamismes intérieurs, personnels ne sont pas les seuls qui interviennent. Sans cesse ils rencontrent d'innombrables autres processus extérieurs à nous.

D'abord, à la conception, le flux qui s'incarne se

heurte et se mêle aux flux constituant le père et la mère et cela déjà dans l'ambivalence de mouvements d'attraction et de répulsion. C'est ce qui détermine l'hérédité. Ensuite le milieu ou l'environnement et, en particulier, l'éducation jouent leur rôle primordial dans une destinée humaine et contribuent aussi à la différence des divers destins et à l'inégalité entre les êtres.

Ainsi la vie n'est qu'une longue suite d'actions et de réactions de divers courants. Tout est tout le temps mis en question. L'homme, pourtant, se ressent lui-même comme une individualité, comme un ego, avec une conscience de son identité. C'est une illusion, — aussi difficile à définir qu'à décrire. Là où nous disons « rendre l'âme », les Hindous disent « abandonner le corps ». Ainsi une âme individuelle *(jiva)* changerait de corps, à travers les incarnations successives, comme on change de vêtement. Encore une fois, ce n'est qu'une façon de parler, un langage conventionnel. Une âme immuable signifierait une âme inchangée et inchangeable. Comment pourrait-elle alors évoluer et se transformer ?

Chaque fois qu'une description relative, utilisée pour la commodité d'un enseignement pratique et concret, devient non plus un instrument ou un tremplin mais une conception figée, un maître la contredit et en montre la fragilité. Le seul enseignement qui ait une valeur d'éveil est celui qu'un disciple particulier reçoit personnellement de son maître. Les livres sont là pour faire poser des questions plus que pour y répondre, pour donner envie de chercher plus que pour indiquer comment chercher. Etre libéré de son ego, de ses limites, cela se vit comme une mort et une résurrection. La meilleure réponse à la question si controversée : « Qu'est-ce qui transmigre ? », c'est la plus décevante pour le mental : « Pas qu'il y ait une âme, pas qu'il n'y ait pas d'âme » (ou de conscience, ou de soi). Les Bouddhistes nient l'existence d'un *atma,* les Hindous l'affirment. Mais ils ne prennent pas le mot dans le même sens.

En adhérant à une affirmation, quelle qu'elle soit, qui ne correspond pas à une expérience personnelle certaine, nous alourdissons encore le fardeau de nos conceptions et de nos opinions, le fardeau de notre mental. Le chemin vers la Vérité absolue va de vérité relative en vérité relative (ou vérité dépendante). Il n'y a aucune connaissance de soi possible à travers les livres. L'étude de soi se fait sur soi-même, sur la matière vivante, sur le champ de bataille, comme dit la Baghavad Gita, où s'affrontent nos tendances ennemies qui, comme les Pandavas et les Kauravas, sont des parents, des cousins, c'est-à-dire ont la même unique origine.

⁂

Il n'y a rien qui change signifie il n'y a rien qui

soit, il n'y a rien. Rien sauf ce que les Hindous appellent Brahman, les Mahayanistes Shunyata, et dont le Bouddha a dit : « Il existe bien un Non-Né, Non-Fait, Non-Devenu ». Si nous pouvions constater que « nous » n'existons pas non plus, nous serions, on le conçoit, libéré de tous nos problèmes. Or cette incroyable réalisation, incroyable et, je suppose, insensée pour le lecteur occidental contemporain, a eu ses témoins à chaque époque, y compris la nôtre. Pour certains l'expérience est devenue définitive : ce sont les rarissimes *jivan-mukta*, « libérés dans cette vie ». Pour la plupart elle a été un éveil provisoire, une échappée hors du temps (une ou plusieurs) suivie d'un retour aux conditions ordinaires de la conscience, celle du temps, de la séparation, du désir, de la peur et des tentatives plus ou moins intelligentes pour échapper à l'étroitesse et à la solitude de l'ego.

Je ne veux pas répéter tout ce que j'ai écrit dans mes précédents ouvrages à propos de la conception hindoue de l'*ego*, ce mot latin plus employé dans les ashrams que tous les mots sanscrits. Pourtant c'est la clé du vedanta. L'ego est la certitude : je suis moi, un « nom » et une « forme » *(nama* et *rupa)*, soumis à la durée, séparé des autres egos. C'est la conscience individuelle du temps et de la multiplicité. Le Sage, le jivanmukta est *egoless* ou *egofree :* il n'y a plus d'ego. Sa conscience, infinie, illimitée, s'exprime par le pur : « Je suis » *(aham)* et non plus : « Je suis un individu » *(ahamkar)*. Tout homme, toute femme qui conserve un ego demeure soumis au désir et à la crainte, inévitables tant que subsiste le dualisme du moi et du non-moi.

Dès que le bébé commence à sortir de l'état de grâce des premières semaines ou des premiers mois et de la relation idyllique avec sa mère, son ego se forme par différenciation. Toute souffrance, toute frustration renforce cet ego. L'ego de l'enfant demande et demande d'autant plus qu'il a l'impression de moins recevoir. Comme le bébé n'avait rien d'autre à faire qu'à se laisser soigner, laver, nourrir et admirer, l'enfant accepte difficilement, ou même n'accepte pas du tout, que cette situation bénie ne continue pas indéfiniment. Après n'avoir d'abord rencontré que le oui, il lui faut faire face au non. Ici doit *normalement* intervenir une éducation juste qui amène l'enfant à tenir compte de l'existence des autres et à trouver naturel que ceux-ci n'existent pas seulement pour lui et en fonction de lui. C'est le processus *normal* de croissance qui, par un élargissement progressif des intérêts, conduit à l'état véritablement adulte. L'enfant tient compte des désirs de ses amis, la jeune fille de ceux de ses frères et sœurs, les époux apprennent à vivre l'un pour l'autre, à vivre ensemble pour leurs enfants, plus tard à devenir un père et une mère pour tous ceux qui viennent à eux. Encore faut-il que l'adulte ne conserve pas en lui la demande désespérée d'un enfant frustré qui le condamne à toujours réclamer et à se sentir perdu si on ne s'occupe pas de lui ou si on le critique.

Ainsi la Voie est avant tout une question de croissance intérieure, depuis l'égoïsme, l'étroitesse et la mesquinerie jusqu'à une compréhension et un amour universels. Celui qui n'attend rien et ne dépend de rien est un avec tout et accède à la réalisation de l'éternité et du non-dualisme. Pour devenir indépendant il faut dépendre de soi et non de l'amour et de la compréhension que les autres nous témoignent ou ne nous témoignent pas. Celui qui a toute sa dépendance en lui n'a plus d'émotions mais seulement le sentiment d'amour du prochain à qui il donne toujours le droit d'être différent de lui. L'enfant dépendant des parents est devenu l'adulte sur qui d'autres peuvent s'appuyer pour apprendre eux-mêmes à grandir.

⁂

Libéré, libération. Le Sage est « libéré ». Qu'est-ce que cela veut dire au juste ? Libéré du sens de l'individualité « séparée » ou de l'individualité « séparante », de l'ego. Libre signifie infini. Le sentiment d'infinitude est en l'homme qui ne peut pas se satisfaire d'être conditionné. L'homme est l'homme parce qu'il veut toujours dépasser toute limitation, toute finitude. Alors seulement un homme devient l'Homme, l'Infini qui ne vient de nulle part et ne va nulle part. Le Sage voit tout ou chaque chose en lui et lui en tout ou en chaque chose. L'homme ne devient réellement lui-même qu'en surpassant toutes les conditions : il réalise le Soi *(atma)*. L'*adhyatma yoga* est le chemin vers le Soi par l'élimination de tout ce qui n'est pas le Soi. La réalisation de l'Infini implique l'absence de tout désir : désir de prendre ou de recevoir, désir de donner, désir de faire. Le désir est l'expression du sens de la séparation. Recevoir et donner ne subsistent qu'autant que nous nous sentons séparé de quelqu'un ou quelque chose d'autre, ce qui produit toujours une crainte inconsciente.

L'homme ordinaire refuse d'être infini pour pouvoir demeurer quelqu'un d'autonome. Mais, en même temps, il étouffe dans cette limitation et veut regagner cette infinitude en se « projetant » partout, en s'identifiant, en refusant de voir les différences, c'est-à-dire très exactement l'inverse de la Réalisation de l'Unité. Il s'en suit obligatoirement que nous ne sommes jamais « dans le coup », toujours en porte à faux, jamais parfaitement à l'aise. Au contraire, le sage, quel que soit le moment, quel que soit le lieu, quelles que soient les circonstances, est toujours à la place qui lui convient.

Il est libre de l'action et de la réaction parce qu'il est libre de la dialectique de prendre et donner. La réalité primordiale, « absolue », est l'équilibre, le repos. La nature tend sans cesse à revenir à cette paix. Chaque fois qu'il y a une action, une réaction apparaît pour la neutraliser. L'exemple classique est celui du pendule oscillant autour de son axe ou celui des plateaux de la balance. Un mouvement d'un côté entraîne un mouvement de l'autre, puis encore de l'autre, jusqu'au repos. L'action de donner neutralise celle de recevoir, elle la compense pour l'annuler. Parce que le sage n'éprouve plus le besoin de recevoir il n'éprouve plus le besoin de donner. S'il donne, c'est librement, en réponse à la situation. D'une façon absolue, le Sage a reçu ce qu'il avait à recevoir, donné ce qu'il avait à donner, fait ce qu'il avait à faire. Dans le relatif chaque homme peut éprouver : « Aujourd'hui, pour l'instant, j'ai donné, j'ai obtenu, j'ai fait ». Il ressent, dans une situation particulière, la liberté qui vient de l'absence de désir. C'est un avant-goût de l'absence de désir, de la liberté absolue. Mais la situation générale de l'homme encore sur la Voie est de compenser son sens de la séparation en se « projetant » dans tous ses dons et toutes ses demandes.

⁂

S'il est, pour le moins, difficile de percevoir tout à coup que rien de ce qui nous entoure n'existe, il est par contre graduellement possible de tenter un peu sérieusement de nous étudier nous-même et de faire un peu connaissance avec ce que nous appelons « je », « moi » ou notre « conscience ».

Avant de pouvoir atteindre un niveau de conscience qui transcende notre perception habituelle et qui puisse être considéré comme supranormal il est indispensable, inévitable, de réaliser d'abord pleinement la perfection du normal. Un vase ne peut déborder que quand il est plein. Nous ne pouvons avoir de réponses réelles aux questions fondamentales sur la vie, la mort, la survie que si notre être actuel est d'abord transformé. Si je vous dis — et je le dis — qu'il y a une existence avant celle-ci et qu'il y en a une après, cela ne vous donne aucune certitude personnelle. Ces réponses ne peuvent venir que comme des prises de conscience à travers un être transformé. S'il nous était donné, aujourd'hui, tels que nous sommes organiquement, émotionnellement, mentalement, d'accéder à la Réalité métaphysique, nous ne le supporterions pas plus qu'un appareil électrique fonctionnant sur 110 volts ne peut être branché sur 300 volts ou sur 3.000.

En quoi consiste donc cette transformation ? Par où et comment peut-elle commencer pour vous, aujourd'hui, maintenant, tout de suite ? D'abord en vous situant sans mensonge à votre point de départ, en acquérant une connaissance véridique de ce que vous êtes, tout ce que vous êtes.

Que découvrons-nous ? Un courant de pensées et

d'émotions concernant un corps physique qui est lui aussi en perpétuelle évolution, renouvellement et dégradation. Le plus souvent « je » — ou « il » — désigne seulement ce corps physique : « J'ai pris le train hier soir ». Ou bien « je » désigne l'état intérieur actuel, la pensée et l'émotion du moment : « Je suis si heureux ». Ce corps, ces pensées et ces émotions sont liés, réagissent les uns sur les autres et obéissent à des lois que l'homme ne connaît pas naturellement et ignore tant qu'il ne les a pas étudiées. Pratiquement l'homme est extrêmement variable. Et, en même temps, il est fort peu souple et adaptable, prisonnier de constantes psychologiques, à peu près inconscientes, qui constituent sa limitation et sa prison. L'homme est composé de quelques courants cachés dont certains, par moments, apparaissent à la surface. Ses possibilités, sa disponibilité sont extrêmement étroites et on retrouve toujours chacun dans un de ses quelques personnages habituels. Si l'eau peut prendre toutes les formes de tous les vases, l'homme est prisonnier d'un répertoire limité de rôles et d'attitudes. Le sage, lui, est semblable à l'eau.

⁂

La première réalité transformable qui s'impose à tous, au début de la Voie, c'est que nous ne sommes pas unifiés mais multiples et contradictoires. Madame

David-Neel citait souvent la comparaison bouddhique de l'être humain avec un « parlement » où les sessions sont souvent houleuses, où se font et défont les majorités. Nous sommes unifiés lorsque nos décisions ou les paroles que nous prononçons impliquent l'unanimité des membres du parlement. Le Christ a dit : « Que ton oui soit oui, que ton non soit non ». Nous le sommes également lorsque la majorité des députés prend une décision en pleine connaissance de l'opposition de la minorité : de cette façon là aussi la totalité de nous-même est présente dans notre action et celle-ci nous engage réellement.

C'est déjà un grand pas sur la Voie d'avoir vu et admis que nous sommes contradictoires car bien des gens ne veulent pas le reconnaître.

Le drame de la plupart des existences est qu'un groupe du parlement — donc un « je » partiel — parle au nom de la totalité sans en avoir le droit et qu'un autre « je » — un autre groupe — refuse d'exécuter le projet ou la décision. L'homme est pareil à un kaléidoscope dont la moindre secousse recompose les éléments en un ordre nouveau. A onze heures du matin, nous voulons une chose, à trois heures de l'après-midi nous en voulons une autre incompatible avec la première. Le lundi nous sommes sûrs, le mardi nous doutons. Nous oscillons sans cesse mais nous persistons imperturbablement à dire « je », « je veux », « je décide », « je ferai ». C'est un « je » qui s'engage. C'est un autre « je » qui doit tenir l'engagement et qui ne le peux pas car il n'a même pas été consulté quand la décision a été prise. Et « nous », pauvres nous, nous ne comprenons pas ce qui se passe et comment nous avons pu à ce point voir un jour les choses d'une façon et à ce point les voir différemment quelques semaines — ou quelques heures — plus tard. Nous ne comprenons qu'une chose c'est que nous ne pouvons même pas compter sur nous-même, ce qui a comme premier effet de nous faire vivre dans la crainte.

Il ne s'agit pas du problème de la division et de l'unification en général mais de notre division et de notre unification personnelles. Nous ne pouvons l'aborder qu'à travers des exemples, des échantillons, concrets, vécus. Ce qui est en nous à l'état latent, à l'état non-manifesté, est là et bien là même si nous l'empêchons de se manifester. Sans qu'aucun « je » responsable et indépendant ne l'ait consciemment voulu, cela se manifestera tout d'un coup. Et, chaque fois, ce moment de nous-même, cet aspect partiel de nous-même, dit : « Je », comme si vraiment il avait le droit de parler en notre nom. Des milliers de gens se passionnent pour la haute métaphysique ou la méditation sans vouloir accepter cette vérité d'évidence : « Dire JE, c'est mentir ». Pour l'homme ordinaire, c'est mentir. Pour l'homme qui progresse sur la Voie, c'est mentir de moins en moins parce que, se connaissant de mieux en mieux, il a de plus en plus le droit de dire « je », un « je » qui l'engage réellement tout entier.

La cause de la souffrance, à tous les niveaux, c'est toujours le refus, donc le conflit, donc le contraire de la paix. Plus quelqu'un refuse de tenir compte de quelque chose qui est en lui et plus il veut le nier, plus il s'épuise et plus il aspire, en vain, à la paix. Son malaise intérieur est insupportable et il veut *fuir* ce malaise, créant ainsi un nouveau conflit. C'est la source de réactions aveugles qui créent sans cesse d'autres réactions. L'homme est de plus en plus prisonnier, mais il se cramponne à une illusion de liberté et d'indépendance. En fait, il est coupé des sources profondes de la vie et une seule chose aura de la valeur pour lui : ce qui lui donne un moment de répit et d'unification apparente, que ce soit le travail, la sexualité, le jeu, le sport.

⁂

Puisque rien n'existe et rien ne dure, il est évident que la croyance à la réalité et à la permanence des choses et des êtres est une erreur, une fausse vision, un mensonge. Il est évident aussi qu'une telle « ignorance » ne présente aucune sécurité et ne peut produire que la souffrance. La grande illusion, c'est de croire au bonheur ou, du moins, à un certain bonheur. La maladie, la séparation, la mort, la déception, la trahison, la ruine et toutes les douleurs physiques, parfois intolérables, sont l'autre face inévitable du bien-être, des joies et des plaisirs. « La vie nous offre le miel sur une lame de rasoir » et le goût du miel se transforme en goût de sang dès que nous refermons la bouche.

Parce que les enseignements orientaux ont toujours regardé en face la réalité de la souffrance, les Occidentaux modernes les ont taxés une fois pour toute de pessimistes. Chez nous, comme chacun sait, tout est pour le mieux dans le meilleur des mondes ou, plutôt, dans la meilleure des sociétés de consommation possible. La surenchère de la publicité et des affiches est une surenchère du sourire et de la joie de vivre. Mais quel désespoir partout, de plus en plus, que révèlent les névroses, les dépressions, la violence, l'usage des tranquillisants et la fuite de soi-même dans des entreprises insensées qui ne conduisent qu'à la nécessité de nouvelles fuites. Le peuple le plus profondément imprégné de « pessimisme bouddhique » que j'ai connu, les Tibétains réfugiés en Inde, est un peuple plus heureux et plus gai dans sa misère que le « gai peuple de Paris ».

Les enseignements orientaux ne sont pas pessimistes puisqu'ils indiquent comment échapper totalement et définitivement à la souffrance.

« Je sais comment
Comment faire tourner sur ses gonds
La porte en fer de la prison »...

chantait Edith Piaf, elle qui ne l'a pas su.

Notre prison est intérieure. Cette prison-là, seule la sagesse traditionnelle, la « *philosophia perennis* », sait comment en ouvrir la porte. Cette sagesse porte un nom : la connaissance de soi. S'il y a prison, la liberté est possible. Mais il n'y a aucune libération possible dans le mensonge et la tricherie : il faut accepter le fait que nous sommes prisonniers et comprendre en quoi consiste notre prison. C'est ce mensonge que tous les Enseignements traditionnels ont aussi appelé le « sommeil ». Les Ecritures du Bouddhisme et du Christianisme parlent sans cesse de sommeil, de vigilance et d'éveil. Le sage est « éveillé parmi les endormis ».

Dès qu'on prête attention au jeu du bonheur et de la souffrance, qui motive toutes les actions des hommes, une constatation s'impose, bien connue certes, mais dont fort peu seulement tirent toutes les conclusions : bonheur et malheur sont essentiellement subjectifs. Une augmentation de trois cents francs par mois est une immense joie pour un ouvrier. Elle serait une terrible déception pour un directeur qui deviendrait directeur général. La joie et la peine s'apprécient toujours par comparaison et s'expriment en plus et en moins.

L'être humain, dont la véritable nature est infinie, illimitée *(atma)* n'accepte jamais sa petitesse et son étroitesse. Pour lui la contraction ou diminution signifie souffrance, l'expansion ou l'accroissement signifie plaisir. Dans la médiocrité de l'ego, le Soi se souvient de sa grandeur. L'homme ressent profondément l'infériorité, le manque, le besoin. C'est la source unique de tout désir. La satisfaction, l'apaisement du désir fondamental de « plus » ne peut venir que de la croissance de l'être. Mais l'homme ordinaire ressent la souffrance de la petitesse dans « l'avoir moins » : avoir moins que je n'avais auparavant ou avoir moins que n'ont les autres. La Réalisation spirituelle, celle de l'Identité suprême, l'identité du Soi *(atma)* avec l'Absolu *(brahman)*, est la réalisation de la grandeur par excellence. A mesure que se développe la véritable croissance de l'être, le besoin d'avoir (avoir de l'argent, des connaissances, des relations, du succès, des biens matériels, des idées originales, etc.) et donc l'égoïsme diminuent d'autant. C'est le renoncement naturel.

Des êtres qui ont apparemment « tout pour être heureux » vivent dans le désespoir et l'angoisse. Ceux que leur métier amène à connaître le fond des cœurs savent combien d'hommes et de femmes beaux physiquement, notoires dans leur profession, riches, en bonne santé, pleins de succès auprès du sexe opposé, se plaignent d'être si malheureux. Et pourtant, ils persévèrent dans la même ligne de recherche des joies et de fuite des souffrances telles qu'ils les conçoivent, cette voie qui les a déjà tant trompés et déçus. Ce que tous les Enseignements religieux ou ésotériques ont appelé la Voie est pour ceux qui en ont assez de se tromper.

Tant qu'un homme ou une femme croit encore que cette fois-ci, ou la prochaine fois, en continuant de la même façon, cela va enfin réussir, il va enfin être heureux, la Voie de ce qui est vrai et juste ne s'ouvre pas encore devant lui.

La Voie commence par un renversement complet de notre façon de voir, une conversion, une *metanoïa* disent les Evangiles. Quand on a connu suffisamment d'hommes et de femmes riches, admirés et malheureux, on sait que l'argent et le succès ne font pas le bonheur et qu'il doit y avoir « quelque chose » à comprendre et à trouver. Inversement combien de gens sans beauté, vivant petitement, sans aucune notoriété, et pour la vie desquels nous ne changerions jamais la nôtre, sont pourtant détendus, souriants, en paix, heureux, tout ce que nous prétendons tellement vouloir être. Allons aux extrêmes : s'il y a des êtres comblés et désespérés, il existe aussi des êtres disgraciés, infirmes, pauvres et rayonnants de joie. Le bonheur ou la souffrance, moteurs de toute l'existence humaine, de toutes les ambitions, de tous les travaux, de tous les efforts, sont des qualités psychiques qui ne dépendent qu'apparemment des conditions extérieures. Bonheur ou malheur sont l'expression de ce que nous sommes, non le résultat de ce que nous avons.

Vient donc tôt ou tard, « dans cette vie ou dans une autre », un moment où l'homme *sait :* « Je me trompe quelque part. C'est moi qui doit changer, c'est mon être qui doit changer. Il n'y a pas d'autre issue ». Alors seulement il se met vraiment en quête d'un maître et d'un enseignement, alors seulement la Voie s'ouvre devant lui.

⁂

Le mécanisme de la souffrance se trouve dans notre dépendance vis-à-vis de choses ou d'êtres extérieurs à nous, dépendance qui constitue un attachement mais qui est souvent parée du nom d'amour. Si mon bonheur dépend d'éléments que je ressens comme autres que moi je n'ai plus de sécurité véritable. Les biens matériels peuvent être perdus, détruits, volés. Quant aux être humains, j'attends d'eux quelque chose dont il n'est pas en mon pouvoir de faire qu'ils me la donnent. Cette attente — couramment exprimée par : « On ne peut jamais compter sur personne » — est une des plus grandes sources de déception et de tristesse. Que je le veuille ou non, l'autre est différent de moi, changeant, mû par ses propres mécanismes, ses désirs, ses attachements, son attente à lui. Il m'échappe. Nous sommes deux.

En quoi consiste donc toute existence humaine ? En une tentative de satisfaire les désirs, quels qu'ils soient : peindre, danser, écrire, faire l'amour, gagner de l'argent, rejoindre son amant, être célèbre, soulager la misère des autres, faire la révolution, prêcher les bonnes doctrines, maigrir, méditer, se venger de ce sale con, séduire, défendre une juste cause, étudier, enseigner, montrer qu'on n'est pas de la merde, sauver le monde, être aimé.

L'homme ou la femme qui s'engage sur la Voie a comme désir primordial celui tout simple d'être heureux, autrement dit d'échapper à la souffrance. Il sait aussi que cette victoire est son premier devoir car seul celui qui est parfaitement heureux, donc libre du désir et de l'attente, a la disponibilité et le temps nécessaires pour s'intéresser aux autres, les voir tels qu'ils sont, non tels qu'il a besoin qu'ils soient, les aimer et les aider.

Le bonheur est d'ailleurs le plus sûr critère de la sagesse. On sait qu'on est arrivé au bout du chemin quand on est vingt-quatre heures sur vingt-quatre, sans jamais une oscillation, dans l'état de bonheur le plus total et le plus parfait qu'on puisse imaginer, auquel rien ne manque et rien ne peut être ajouté. L'homme, autour de nous, en est loin, si loin, parce qu'il cherche hors de lui le sens de sa vie.

La dépendance fait qu'un événement extérieur, la perte d'un objet ou d'un être (la trahison d'un ami, un amour qui se brise) nous mutile comme si notre être même était mis en question.

L'existence c'est le désir — quel qu'il soit. Sans désir pas d'existence. Le désir qui anime un homme au moment de sa mort détermine sa vie dans l'au-delà ou une nouvelle incarnation. Or, si l'homme vit de désirs, ces désirs sont souvent contradictoires et, encore plus souvent, inconnus, « inconscients ». Le nirvana, la Libération, est l'extinction des désirs, autrement dit : trouver sa joie et sa plénitude en soi-même au lieu de les chercher au dehors. C'est la fin de toute souffrance et de toute peine. Mais comment en arriver là ? C'est la question, toute la question.

D'abord il faudrait être convaincu, par sa propre expérience et de sa propre certitude, que tout ce que je viens de dire est vrai. Si je crois encore qu'il y a d'autres moyens que la Voie pour trouver la paix et le bonheur, à la première vraie difficulté sur la Voie, je prendrai un chemin de traverse.

Ces difficultés sont nombreuses et parfois dramatiques. La plus grave est que l'homme a besoin de ce qui le condamne à souffrir et croit, au contraire, y trouver son énergie et sa possibilité de vivre. Voilà pourquoi tous les enseignements spirituels, à commencer par les Evangiles, parlent tant d'esclaves et d'affranchissement des esclaves. Nous sommes tous des esclaves. Certains ne peuvent le nier. Le morphinomane trouve sa vie dans la morphine, l'alcoolique dans l'alcool. Sans morphine, sans alcool, ils souffrent, ils sont perdus. Cela les maintient dans l'esclavage. Je pense aussi à des médecins certains que la cigarette est cancérigène, à des sportifs convaincus qu'elle leur enlève le souffle, et qui ne peuvent pas s'empêcher de fumer. Ces exemples sont clairs pour tous, mais nous devons découvrir que c'est toujours le cas. Nous nous cramponnons à ce qui nous empêche d'être heureux et de croître intérieurement. Le plus souvent nous sommes prisonniers de ce qui constitue notre réussite ou de ce que nous considérons comme nos meilleures qualités.

Si « ça ne va pas », si nous ne sommes pas heureux, c'est du côté de ce que nous ne mettons pas en doute qu'il faut chercher la cause de notre trouble, bien plus que du côté de nos faiblesses notoires. Chacun a sa drogue : son métier, son art, sa mission, l'œuvre de sa vie. Chacun « sait ». Même ceux dont l'existence n'est certainement pas une réussite, qui souffrent, qui sont anxieux, angoissés, dont chaque succès est suivi d'un échec, persistent à « savoir ». Heureux celui qui sait qu'il ne sait pas car la Voie s'ouvre devant lui. Soyez certain que celui-là ne sera pas long à se trouver en présence d'un maître véritable quelles que soient les difficultés apparentes, même si ce maître se trouve à l'autre bout du monde.

Une discipline est nécessaire mais celle-ci ne peut être fondée que sur une vision et une compréhension justes de la vérité. Nous voici ramenés une fois encore à la connaissance de soi. On ne sait jamais trop ce que l'on est, ce qui se passe en nous et comment cela se passe, où sont les vraies causes des effets que nous constatons.

Seule la compréhension donne une certitude.

Seule une certitude donne la décision claire et ferme de s'engager dans la Voie de la liberté intérieure et de l'unification. Je ne dis pas que cela devient la seule chose importante mais je dis que cela devient *plus important que toute autre chose.* La Voie est ressentie comme la seule activité qui puisse donner leur sens à toutes les autres, la Lumière qui peut les éclairer.

⁂

Un des premiers enseignements de la Voie est qu'on ne peut comprendre et traiter aucun aspect de la vie séparément. Tout est lié. Tout réagit sur tout. La mentalité moderne de spécialisation et de morcellement se retrouve partout. L'un veut se libérer de ses émotions sans prendre soin de son corps, l'autre veut comprendre d'une façon nouvelle sans tenir compte de ses émotions. L'un pense qu'il peut soigner ses maux de tête sans soigner l'ensemble de son organisme, un autre qu'il peut se transformer intérieurement sans rien changer à ses conditions extérieures d'existence. L'idée du Tout est perdue de vue. Chaque part du Tout s'articule et s'ordonne par rapport aux autres, dans une dialectique de cause et d'effet ou d'action et de réaction. On n'appréhende le fini que dans sa relation avec l'Infini.

Chaque problème particulier de la vie, chaque difficulté circonstanciée, ne peut vraiment être résolue que si l'on comprend comment *tout* peut être résolu, quelle est la Réalité, la Loi et le Sens de l'Univers et de l'Homme. C'est l'enseignement de la Baghavad Gita, la plus célèbre écriture hindoue. Arjuna est déchiré par un problème d'homme de guerre. Krishna, Incarnation de Dieu, pour l'aider à résoudre ce conflit intérieur particulier, lui révèle peu à peu l'explication de toute la métaphysique. Sur le champ de bataille, les armées prêtes à combattre, Krishna montre à Arjuna que la réponse qu'il attend ne peut être que *la* Réponse : quelle est la signification de la vie humaine.

Dans cette perspective, une certaine éthique personnelle, fondée sur la conscience et non sur la morale courante, s'établit peu à peu qui n'est ni la licence ni le puritanisme, ni la facilité ni le refoulement, ni l'hédonisme ni la mortification systématique. L'idée directrice de la vie devient celle du progrès personnel. Comment être *vraiment* plus libre, plus unifié, plus adulte, plus indépendant, plus responsable, et surtout moins égoïste ? Comment sortir du mensonge ?

Seule la référence à un But durable permet d'apprécier la valeur des activités auxquelles on se livre : profession, distractions, vie mondaine, sexualité. Il nous est arrivé à tous, sur la Voie, de nous trouver dans la nécessité des « révisions déchirantes ». Elles paraissent déchirantes tant que la vision n'est pas claire, tant que la compréhension est confuse. Une certitude intellectuelle, lorsqu'elle est devenue parfaite, passe immédiatement dans le sentiment et l'action s'en suit comme une évidence qui apporte enfin la paix.

⁂

Avant de trouver son application au dehors, l'effort se porte d'abord vers l'intérieur et la première découverte est celle du mécanisme de notre mental et de nos émotions. C'est une affaire d'attention : nous observons que nos humeurs, nos émotions, nos pensées se succèdent du matin au soir et nous entraînent intérieurement ici et là, sans que nous puissions prévoir ni où ni comment. Nous nous attendons à certaines joies, à une certaine qualité de sentiment et nous voilà au contraire frustrés, malheureux. Aujourd'hui c'est inévitable. Ce ne le sera pas demain si nous le voulons. Mais il faut d'abord voir et comprendre exactement comment les choses se passent aujourd'hui.

Les intérêts se suivent, apparaissent, disparaissent. Nous remarquons quelque chose, nous prêtons attention à quelqu'un, puis nous oublions et notre champ de conscience est occupé par une autre image. Je perçois, j'oublie; je perçois, j'oublie; je perçois, j'oublie. Même enfermé dans l'obscurité et le silence, sans impression venant de l'extérieur, nous continuons à penser. En dormant, nous rêvons. Je jense, j'oublie; je pense, j'oublie; je pense, j'oublie. J'oublie simplement plus ou moins vite.

En fait, rien n'est jamais oublié. Tout est emmagasiné dans le non-manifesté, où toutes nos impressions, nos émotions, nos pensées et nos actes sont non seulement conservés mais reliés organiquement de façon à former un tout cohérent que seul le mental ne conçoit que par fragments et par oppositions.

Ce non-manifesté est infiniment plus important que ses manifestations éphémères. Notre « conscient » n'est qu'une mince surface comparée à l'immensité et à la profondeur de l' « inconscient ». Et, surtout à son activité. Tout ce qui est non-manifesté cherche à se manifester. Tout ce qui est réprimé cherche à s'exprimer.

Ce que nous sommes aujourd'hui est le produit de tout ce que nous avons éprouvé, pensé et fait depuis l'origine. « Ce qui est passé est passé ». Non

Ce qui est passé demeure présent, bien présent, dans le non-manifesté. Présent, vivant, actif. Notre passé est là qui nous suit partout comme notre ombre. C'est cela que désigne le terme sanscrit de *samskara*.

Le maître tout-puissant, c'est le non-manifesté, l'inconscient. Les efforts, les méditations, les exercices destinés à discipliner et apaiser le mental n'ont aucun effet réel et durable si cet inconscient n'est pas concerné. La voie d'accès au non-manifesté passe par ses manifestations. Plutôt que chercher d'emblée à écarter coûte que coûte les pensées par la « concentration » il est beaucoup plus intéressant et fructueux de laisser d'abord celles-ci apparaître librement et d'en prendre conscience. Ne refusons pas le message qu'elles nous apportent et les secrets qu'elles nous révèlent sur nous-même et sur ce que nous sommes et voulons en vérité, généralement le contraire de ce que nous croyons.

Là j'en arrive à une notion fondamentale, vitale, qui est celle de la vigilance : être présent, attentif, conscient, savoir ce qui se passe en nous. C'est une aptitude qui se développe et qui croît peu à peu par l'exercice et qui, seule, permet de ne plus se laisser emporter « aveuglément » par tout ce qui nous touche. « Veillez ». Il est escompté d'un veilleur de nuit qu'il ne s'endormira pas. En anglais, les mots clés du Bouddhisme sont *collectedness*, qui signifie le fait de se rassembler, de se recueillir, *mindfulness*, la plénitude de l'attention, *awareness*, le fait de savoir exactement ce qui se passe.

La vigilance est une attitude qui n'a rien de bien spectaculaire mais qui change tout. Nous dormons, c'est pourquoi notre vie nous échappe et se déroule toute seule. Nous ne comprenons pas pourquoi nous ne sommes pas heureux et dans la paix comme nous le voudrions. Mais nous avons une certaine possibilité d'attention : voilà le grand secret. Et cette faculté est susceptible de se développer immensément par l'exercice.

Nous pouvons nous lever intérieurement et engager la « grande guerre sainte », le combat contre nous-même. Ce combat comment le mener efficacement et victorieusement ? En prévoyant, en se préparant. On ne part pas à la bataille n'importe comment, sans vigilance, pour se laisser prendre par surprise. Un général mesure ses forces et celles de l'adversaire, étudie le terrain, etc.

Prenons par exemple une colère, violence, tension, nervosité. Elle s'empare de nous, modifie notre expression, notre timbre de voix. Elle nous emporte et « nous » ne sommes plus nulle part. C'est lorsque nous sommes calme, serein, pacifié, disponible, que nous devons nous préparer au futur combat. Le critère de la vérité d'un moment c'est que nous nous sentons à l'aise, « bien dans notre peau », heureux, paisible. A ce moment-là nous prenons conscience de nous le plus profondément possible. Il s'agit vraiment d'un éveil, comme si, en nous, une lampe s'allumait tout à coup. Le Christ a dit : « L'œil est la lampe du corps », l'œil intérieur, celui de l'attention. Nous éprouvons : « Je suis ». Ce n'est pas une analyse qui découpe tout en morceaux. C'est simplement être conscient de ce qui, en nous, ne change pas, n'est pas affecté par les émotions et les humeurs. Ces moments de conscience, les Enseignements les appellent des moments de « souvenir »: on se souvient de soi-même, de son but, du sens de sa vie. Dans ces moments privilégiés de présence à soi-même nous pouvons nous « souvenir » de notre possibilité d'être pris, nous pouvons prévoir.

C'est une clé fondamentale : si, dans les moments où nous ne sommes pas emportés, où nous sommes maître de nous, nous établissons consciemment un lien entre notre calme et notre emportement, inversement il nous sera possible lorsque nous serons, par exemple, au début d'une colère, d'établir un lien avec nos moments de calme, avec la liberté et la vérité qui sont en nous, qui sont nous. Veiller, c'est « se souvenir ». C'est au moment où nous sommes entraînés, où nous sentons que nous allons l'être, qu'il faut « se souvenir » et ne pas laisser échapper l'occasion. Si nous étudions les différents enseignements ésotériques, nous voyons l'importance de ce terme : « se souvenir ». On le retrouve dans toutes les langues et toutes les religions.

Se souvenir de son But, ou de Dieu, ou de soi-même, c'est avoir en soi quelque chose à mettre en face de l'hypnotisme de la vie et des événements. Ainsi s'établit peu à peu en nous un centre permanent autour duquel s'ordonne notre existence et qui a le droit de dire « je », de dire un vrai oui, un vrai non. C'est ce « je » unifié seulement qui peut grandir, devenir plus vaste, se transformer, accéder aux niveaux supérieurs de conscience. Un être partiel ne peut pas avoir une véritable vie spirituelle ni atteindre une certaine qualité de pensées, de sentiments et de sensations. Il est condamné à osciller au gré d'émotions qu'il ne contrôle pas et dont le mécanisme lui échappe. Mais, si nous le voulons vraiment, un combat nous est possible entre une attitude intérieure de liberté et de réconciliation avec les circonstances et une attitude de tension et de conflit avec les circonstances.

Ici je veux redire ce que j'ai longuement développé dans le chapitre : « Oser dire oui », du Tome I de ces « Chemins de la Sagesse ». L'homme vit en conflit avec les événements : « Non, ça ne devrait pas être comme ça »; « non, il ne devrait pas faire ça ». Cette attitude — qui est le contraire de l'amour et qui manifeste l'agressivité — crée en nous une division entre ce qui reconnaît : « C'est ainsi » et ce qui refuse : « Ça ne peut pas, ça ne doit pas être ainsi ».

Naturellement ce mécanisme échappe complètement à l'homme endormi, à l'homme esclave. Mais l'homme qui veille en est conscient. La grande conversion intérieure, celle qui nous sauve, a lieu quand le non à ce qui est devient oui à ce qui est. Les choses étant ce qu'elles sont et moi unifié, comment vais-je agir (et non plus réagir) ? Ainsi s'établit peu à peu cet amour dont le Christ ou le Bouddha ont tant parlé et qui est notre liberté et notre possibilité de croître. Tandis que : « Untel m'énerve », « Untel est un con » est notre prison, nous interdit de progresser et nous dégrade.

⁂

Faisons d'abord un peu connaissance avec notre corps. Ses mouvements, ses contractions, sa possibilité de relâchement constituent un vaste champ d'étude. L'ignorance que l'Occidental ordinaire a de son corps est quelque chose d'effarant. Les sports n'en donnent qu'une connaissance grossière et limitée. Seuls la danse et la pratique du hatha yoga ou du taïshi chinois donne à certains une conscience un peu meilleure de ce corps. Le corps, qui change certes mais qui change beaucoup moins vite que les pensées et les émotions, constitue un point d'appui très important. Il y a un lien étroit entre le corps (nerfs, plexus, glandes endocrines, respiration) et les émotions. Donc une certaine façon d'être dans son corps, de le connaître de l'intérieur, s'avère indispensable. D'où la nécessité, sur toutes les Voies, d'un minimum de yoga physique (tenue de la colonne vertébrale, centre de gravité dans le ventre, relâchement musculaire quelle que soit la position). Le corps aussi peut et doit être transformé.

Ici, tout de suite, nous nous heurtons à un paradoxe apparent : c'est à l'intérieur du corps que se révèle une réalité qui transcende le corps, qui transcende la conscience limitée par le corps. A l'intérieur et grâce au corps.

Si la méditation est l'effort pour prendre conscience de ce qui, en nous, ne change pas, c'est aussi l'effort pour prendre conscience de ce qui, en nous, peut subsister après la mort du corps physique, peut être « immortel ».

Une fois encore, je reviens à notre point de départ afin de voir comment, ensuite, croître à partir de là. Notre point de départ, c'est notre soumission à notre corps. Le chemin, c'est notre libération progressive par rapport au corps dont nous devenons le maître. Le corps est soit un obstacle, soit un allié. Le corps peut être une prison ou il peut être un temple. Le corps peut être un tyran ou il peut être un merveilleux serviteur. Nous ne devons ni lui obéir, ni le malmener mais le diriger comme un cavalier mène son cheval, nous dit le symbole du centaure.

Le but est supra-humain, supra-normal, transcendant (du limité à l'Illimité, de la multiplicité à l'Unité, de la mort à la Vie éternelle) mais le chemin exige la participation de la totalité de nous-même. Il n'est pas possibe de progresser, de s'unifier, de devenir libre, sans un *nouveau* fonctionnement de l'organisme. La libération n'est pas seulement la suppression des conflits menant à une paix que nous pouvons concevoir dès aujourd'hui : joie, sérénité, réconciliation avec soi-même, ne plus se contredire. Il y a bien plus que cela : des niveaux d'être, des mondes, des plans de la Réalité — appelez-les sublimes, divins, surnaturels, comme vous voudrez — qui nous attendent et qui sont le sens de l'existence humaine même si 99 % des hommes s'en désintéressent.

A mesure que nous progressons dans la Voie, de nouveaux aspects de nous-même deviennent indignes de nous. Il est indigne d'un chercheur spirituel d'accepter que son organisme demeure soumis à des insuffisances comme la constipation, l'aérophagie, les maux de tête, le manque de souffle, les douleurs dans le dos, d'autant plus que ces troubles ont un aspect vital et psychique très profond. Il est indigne d'un chercheur de la vérité de vivre avec les laxatifs, les analgésiques, toutes les pilules et tous les suppositoires, car ce sont des obstacles sur le chemin de l'unification et de la libération. Le corps aussi doit être transmué, éclairé, associé au changement de tout l'être. C'est parfaitement possible. Je connais bien des gens qui vivaient dans les maux et les médicaments et que l'hygiène et le hatha-yoga ont complètement transformés.

A partir de la docilité, de la soumission du corps physique mortel, commence une vie de plus en plus affranchie du corps. Les relations sensorielles par la vue, le toucher, l'ouïe font place à une communion plus subtile ou plus fine, où le véritable sentiment de n'être qu'un devient perceptible.

Je touche là à un domaine que l'on a dénommé parapsychologique, extrasensoriel, subtil, métapsychique, mais qui est le plus souvent abordé avec une orientation fausse, c'est-à-dire en cherchant au dehors ce qui doit être trouvé au dedans.

L'unité organique de toute la nature, de toute la manifestation, nous échappe pratiquement, même si la science contemporaine la confirme. D'abord nous ne tenons compte que du plan physique (ou matériel, ou grossier ou, en effet, sensoriel). Puis nous ne comprenons pas de quelle façon nous faisons partie de l'Univers. Comme tout le reste, chacun d'entre nous est une forme particulière d'une unique énergie. J'ai cité, dans le premier volume de cet ouvrage, la comparaison du vaste et durable océan et des vagues multiples et éphémères. Je peux prendre aussi celle des feuilles d'un même arbre. Si deux feuilles avaient une conscience d'elles-mêmes et voulaient communiquer jusqu'à sentir qu'elles ne font qu'un, aucune tentative de se rejoindre par l'extérieur ne saurait y réussir, quand bien même elles parviendraient à se toucher, à se coller l'une contre l'autre. Elles seront toujours deux. Mais si, en même temps qu'elles se reconnaissent physiquement comme deux, chacune des feuilles prend conscience de son appartenance au même arbre, à la même vie, elles réaliseront leur unité. C'est pourquoi un dicton bengali proclame que « l'amour ferme la porte du dehors et ouvre la porte du dedans ». C'est en rentrant en nous-même, en nous ouvrant à la source en nous de toute vie, en nous unissant à ce qui est en nous d'universel ou de suprapersonnel, que nous pouvons communiquer ou communier avec l'autre, pas en nous projetant au-dehors vers lui, que ce soit physiquement ou psychiquement.

Le but de l'incarnation humaine est de réaliser une vie de plus en plus libre du corps et des pensées et émotions étroitement liées à ce corps à travers le système nerveux, les glandes, l'assimilation de la nourriture, etc. Une vie qui finit par être si libre du corps que la mort de ce corps n'y enlève rien. C'est rarissime mais ce n'est pas impossible. Réussir sa vie, c'est être prêt à mourir consciemment.

La méditation, en nous libérant peu à peu du plan purement physique où vit toute l'humanité occidentale contemporaine, nous apprend que le courant de l'existence nous masque des perceptions ou des réalités d'un ordre supérieur. Mais, pour être libre du corps, il faut d'abord l'accepter complètement, sans penser que rien soit négligeable, vulgaire, dégoûtant. Un des apports précieux de Freud est d'avoir montré l'importance de détails auxquels la pudeur mensongère refuse de s'intéresser. En nous, tout est lié, tout réagit sur tout et aucun détail n'est insignifiant ou sans valeur pour celui ou celle qui cherche à se connaître et veut devenir libre et conscient.

Il faut donner toute leur importance à la respiration, seule fonction instinctive sur laquelle nous ayons immédiatement la possibilité d'intervenir, et à la relaxation musculaire. Dans beaucoup de monastères orientaux, notamment bouddhistes, l'attention aux mouvements est un exercice quotidien : je me lève consciemment, je marche consciemment, je mange consciemment, je respire consciemment. « Pas même cueillir un brin d'herbe sans savoir qu'on le fait et pourquoi on le fait », m'a dit un jour mon maître. Faire ce que l'on fait, être dans son geste, au lieu de penser à autre chose en même temps. Avec l'exercice cette vigilance peut se développer au point de devenir naturelle et presque permanente. Mais au début de la Voie que nous en sommes loin ! Nous sommes tellement emportés par tout ce que nous faisons, que nous ne sommes plus nulle part.

Si nous sommes emportés par nos mouvements nous le sommes encore plus par nos émotions que ce soit la joie, la souffrance, la colère. Pendant longtemps nous n'avons aucun pouvoir d'empêcher les émotions de naître mais nous pouvons, en les acceptant, les vivre consciemment, sans disparaître complètement. C'est au départ de l'émotion que la vigilance est particulièrement nécessaire. Seule cette participation active aux émotions permet de maintenir un équilibre intérieur et une permanence à travers les humeurs changeantes et souvent tout à fait contradictoires qui se succèdent et s'imposent à nous.

Le sage n'a plus d'émotion, aussi effrayant, répugnant, scandaleux que soit l'événement dont il est témoin. Cela semble inconcevable à l'homme ordinaire, probablement même inadmissible. Mal comprise, cette liberté apparaît comme dureté, sécheresse de cœur, inhumanité. C'est le contraire.

Les émotions sont inutiles. Croyez-vous qu'un médecin qui fait sa visite dans un hôpital et qui a des réactions personnelles devant chaque malade est un meilleur ou un moins bon médecin ? Peut-il remplir sa tâche, le docteur qui commence par être dégoûté parce qu'il voit une femme alcoolique, ivrognesse, avec un visage gonflé, injecté de sang, et qui est ensuite au bord des larmes parce qu'il rencontre une petite fille mourante qui le regarde avec de grands yeux désespérés ? Moins un médecin a d'émotions en face de ses malades plus il peut être un bon médecin. Cela n'a rien à voir avec l'égoïsme. Moins nous avons de réactions et d'émotions, plus nous sommes capables de comprendre, d'aimer et d'aider. La seule vérité du non-égoïsme, c'est l'action, c'est ce que nous faisons pour les autres. Pour eux. Pas comme manifestation de notre émotion personnelle. L'émotion entraîne toujours des jugements, des conceptions, des considérations qui sont l'expression de notre égoïsme. Chacun justifie ses émotions en disant : « Je ne suis pas une pierre, je ne suis pas une bête, une brute, je suis un homme ou une femme sensible, qui éprouve, qui participe ». Ce n'est pas vrai. Nous ne participons pas, nous nous coupons par nos émotions. Si vous n'avez pas dormi après avoir vu les photos du Biafra dans *Match*, ce n'est pas la souffrance des enfants du Biafra qui vous a empêché de dormir, c'est la vôtre. La seule chose intéressant les enfants en question est la somme d'argent que vous avez donnée à la Croix-Rouge ou au Secours Catholique.

Tout acte d'altruisme ou de générosité qui est l'expression d'une émotion et des pensées qu'entraîne l'émotion, donc de l'égoïsme, n'a pas de valeur. C'est pour cela qu'avec tant de bonne volonté et tant de bonnes intentions, tant de certitude de tous les côtés d'être dans la vérité et de faire le bien, le monde va si mal. Comment peut-il y avoir tellement de confusion, d'aveuglement, de heurts, de conflits, s'il n'y a pas une erreur énorme quelque part ? Cette erreur, elle ne concerne pas les autres, elle nous concerne nous, chacun d'entre nous individuellement. Cette erreur, c'est de justifier nos émotions qui nous condamnent à vivre uniquement dans notre monde, jamais dans le monde.

C'est à cause des émotions que nous oscillons sans cesse, que nous sommes emportés. Le sage demeure pareil à lui-même parce qu'il est un avec tous les changements autour de lui. Chaque fois que nous éprouvons une émotion ou une réaction très forte nous en rendons responsable le fait extérieur, l'événement, alors que la responsabilité est en nous et uniquement en nous et que l'incident n'est là qu'à titre secondaire, à titre de cause excitante. Nous portons en nous, à l'état latent, la possibilité de certaines émotions. Ce qui est non-manifesté est aussi réel à l'état potentiel que ce qui est manifesté. On peut parfaitement concevoir que chez quelqu'un d'autre le même événement n'aurait provoqué aucune réaction ou une réaction tout à fait différente.

Je me demande quel terme français conviendrait pour désigner l'état qui est au-delà des joies et des souffrances : félicité, béatitude, sérénité, paix ? Mais qu'importe le mot alors que nous ne connaissons pas ce dont il s'agit : un sentiment stable, permanent, indépendant de tous les facteurs extérieurs. Tant que nous saurons plus ou moins confusément que notre joie dépend de quelque chose d'extérieur qui peut nous être enlevé, cela ne sera jamais une joie parfaite. Est-ce que nous avons une joie ou est-ce que nous sommes la joie ? Ce que nous sommes ne peut pas nous être enlevé.

En nous frustrant de la paix intérieure, les chocs extérieurs obligent ce qui est non-manifesté, caché — mais qui n'en est pas moins là — à se manifester. Pendant un certain temps nous sommes bien et nous pensons : « Ça va ». Puis, tout à coup « cela » (angoisse, colère...) revient avec une force terrible. Un beau jour nous finissons par comprendre que ce qu'il faut c'est se débarrasser, se délivrer, du non-manifesté. Le non-manifesté est inconscient. Inconscient c'est-à-dire inconnu. Quand quelqu'un dit : « Consciemment je veux ceci mais inconsciemment je veux cela », ces paroles sont un non-sens. Ce qui est inconscient est ignoré, non connu. Et ce non connu nous rend susceptibles d'émotions, donc esclaves, donc aveugles. Pour être libre un jour des émotions il faut les accepter aujourd'hui. En acceptant complètement une émotion, en faisant consciemment un avec elle, nous lui enlevons son pouvoir sur nous.

Quant au mental lui-même il n'est là, comme son nom l'indique, que pour nous mentir et nous conduire n'importe où sauf à la vérité. Il faut avoir lutté pendant des années avec sa propre « illusion » et ses propres mensonges involontaires pour savoir à quel point ce que je dis là est vrai. Le mental c'est la surface qui s'oppose à la profondeur, au « cœur ». Dans le cœur toutes les impressions sont reliées, tout est

« un ». Le mental crée la division et la contradiction.

Certes l'approche intellectuelle de la réalité est justifiée mais elle ne peut venir qu'une fois toute émotion disparue. Tant qu'il y a émotion, la pensée est le produit de cette émotion. C'est donc une pensée fausse, une pensée aveugle, une pensée qui est *maya*, qui est *avidya* (ne pas voir), une pensée coupée du réel. Si nous étions absolument dans la vérité, l'émotion disparaîtrait. C'est la loi.

⁂

En nous acceptant tels que nous sommes, une approche juste du monde extérieur devient possible, fondée sur le désir — plus fort que tous les autres — de voir les choses et les êtres tels qu'ils sont, de dépasser leur apparence pour être en relation avec leur essence. Il ne s'agit plus de demander aux autres qu'ils répondent à notre attente mais de leur donner le droit d'être eux-mêmes et les aimer tels qu'ils sont.

Je dois aussi mentionner un point délicat, dont l'exposé a fait jusqu'à présent en Occident plus de mal que de bien : les états supérieurs de conscience ou samadhi. L'expérience montre que la pensée discursive et la compréhension intellectuelle ne résolvent pas les problèmes vitaux. On peut être un spécialiste du Bouddhisme, du Vedanta, du Taçawuf, sans être le moins du monde libéré des désirs et des constructions du mental. Le samadhi est une intuition immédiate de la Vérité ou de la Réalité qui seule peut nous délivrer de l'attachement. Le samadhi est le couronnement de la méditation et il demande une concentration de l'attention tout à fait exceptionnelle. Le moyen efficace de développer la concentration au degré nécessaire est de faire disparaître les obstacles à cette concentration beaucoup plus que d'essayer de la cultiver en elle-même. Ces obstacles sont justement la richesse et l'agitation du non-manifesté et on ne peut s'en rendre libre qu'en les laissant monter à la surface, s'exprimer et perdre leur pouvoir à la lumière de la conscience.

La sensualité, l'agressivité, la torpeur, les soucis, les doutes, la vanité sont les obstacles signalés dans tous les enseignements, mais ce ne sont que les produits de sources plus profondes. Il est vain de vouloir les réprimer par force pour pouvoir « méditer ». Il faut les faire diminuer et mourir peu à peu. L'existence humaine est alors une régénération. Si non elle est une dégénérescence. Nous nous construisons ou nous nous détruisons nous-même. Tout ce que nous pensons, disons, faisons, entendons, voyons aujourd'hui constitue ce que sera notre être demain. Nous sommes aujourd'hui les auteurs de notre destin de demain. Là nous avons tout de même une certaine possibilité d'intervention, même si notre être aujourd'hui est le résultat de ce que nous avons vécu hier. Si je m'en tiens à l'ambition, aux plaisirs et à l'agressivité, sans faire leur place à l'esprit de sacrifice, à l'amour désintéressé, à l'effort pour se connaître et qu'en outre je n'essaie même pas de comprendre quel peut être le sens de l'existence humaine, il est certain que la qualité d'être que je me prépare pour l'avenir sera médiocre, quelle que soit ma réussite apparente dans la vie. Il est non moins certain que je ne peux m'attendre ni à la paix ni au véritable bonheur qui tiennent à l'être et non à l'avoir.

⁂

Aucune vue partielle n'est juste puisque tout dépend de tout. L'attitude qui permet de progresser dans la connaissance de soi est le contraire de celle qui veut isoler et immobiliser un phénomène pour l'analyser tranquillement. La loi fondamentale à reconnaître est que rien, ni pensée, ni émotion, ni événement, ni action, rien ne se produit indépendamment, tout est dépendant d'une ou plusieurs causes et conditions (ou circonstances). C'est évident et je crois que personne ne le discute. Mais il faut aussi en tirer toutes les conclusions qui s'imposent. Naturellement les causes et conditions ne sont pas non plus statiques mais sont elles-mêmes instables, en état de changement, d'impermanence. Notre mental fonctionnant en immobilisant et en séparant, il nous est difficile de percevoir la vie comme une totalité en mouvement et, qui plus est, dont aucun élément n'a de réalité en lui-même. La seule réalité indépendante, c'est le Vide *(shunyata)*.

Ceci se produit parce que ceci s'est produit qui s'est produit parce que cela s'est produit, etc. La jument de Madame la Marquise a péri parce que les écuries ont brûlé, les écuries ont brûlé parce que le château a pris feu, le château a pris peu parce que les chandelles sont tombées sur les rideaux, les chandelles sont tombées parce que le marquis les a entraînées dans sa chute, le marquis a chuté parce qu'il s'est suicidé, il s'est suicidé parce qu'il était ruiné, etc. Et voilà comment, dans mon enfance, Ray Ventura prêchait — sans y songer, je suppose — les fondements même de l'enseignement du Bouddha *(pattica samuppada)*.

Il n'y a rien qui ne soit un moment d'une chaîne de causes et d'effets. Rien n'arrive qui ne découle d'autres choses. Rien n'arrive non plus dont d'autres choses ne découleront pas. Disons simplement que, la plupart du temps, les relations entre les causes et les effets nous échappent complètement. Mais cette façon de voir qui imprègne tous les enseignements traditionnels se retrouve dans les différentes sciences contemporaines. Quand je parle de cause et d'effet il est bien entendu qu'on ne peut isoler ni rendre « réelle » ou indépendante aucune cause ni aucun effet. D'autre part, il faut toujours parler de causes (ou de conditions) et d'effets au pluriel.

Il n'y a pas un détail insignifiant de notre vie, un geste inutile, une pensée futile qui ait une existence indépendante, qui advienne « comme ça », fortuitement, sans relation avec quoi que ce soit d'autre.

Relativement, tandis que j'écris ces pages dans un petit ashram près de Ranchi, au Bihar, j'ai sous les yeux un arbuste, des fleurs, une femme en sari qui nettoie la vaisselle avec du sable. Absolument, il n'y a ni arbuste, ni fleurs, ni femme. Cet arbuste s'est transformé depuis le début de la mousson, ces fleurs n'étaient pas là quand je suis arrivé et ne seront plus là quand je partirai, cette femme est une succession de gestes que je perçois, de pensées que j'ignore, d'émotions que je devine. Cet arbuste n'est qu'une expression, une forme d'une énergie plus vaste que lui. Si je ne tiens pas à l'arbuste, si je n'y suis pas « attaché », si je n'attends rien de lui, je peux le percevoir comme un moment d'un devenir, d'un flux, dépendant de l'air, de la terre, de la pluie, du jardinier. Je perçois, au-delà de l'arbuste transitoire, une vie ou une énergie fantastiquement intense, illimitée, éternelle. J'entends « le langage de la Création ». Mais si l'arbuste en lui-même me devient à moi, pour moi, important, cette vision disparaît.

C'est l'attachement qui nous aveugle à la Réalité. Et c'est l'aveuglement qui nous maintient dans l'attachement. Cet attachement s'exprime par : « Je veux » et par : « J'aime », exactement le contraire de l'amour véritable. Qu'en français le même mot amour traduise les deux termes sanscrits de *moha* et *prem* ne nous facilite pas une approche claire de la question.

Avant tout, cet attachement refuse d'accepter l'impermanence et la transformation. C'est absolu, radical : je n'accepte pas que tout soit transitoire. Or il n'y a pas d'affirmation générale qui n'ait de source particulière : un événement précis dont le souvenir est conservé dans l'inconscient. « En amour on est toujours trahi », par exemple, signifie : « Une fois bien précise — fût-ce à l'âge de trois ans... ou de trois semaines — j'ai été trahi en amour ». De la même façon le refus du changement général est l'expression du refus total d'un certain changement précis advenu dans notre petite enfance, vécu comme intolérable ou terrifiant, et complètement refoulé dans l'inconscient; tant que la source particulière de ce refus général n'a pas été retrouvée, revécue et liquidée — au prix d'un abandon héroïque des mécanismes de reniement et de répressions —, il n'est aucune possibilité, pour l'individu, de faire face à la Loi universelle de l'impermanence et d'y participer joyeusement. Le non à ce qui est conserve sa toute-puissance.

Ainsi, la Réalité est l'instabilité, le flux incessant, mais un autre en nous plus puissant que nous-même refuse de l'admettre. Parfois aussi, malgré les tentatives répétées pour établir un lien entre les moments de conscience de soi au calme et les moments d'emportement ou d'émotion, cet effort s'avère impossible. Les efforts renouvelés nous convainquent de notre échec. L'émotion est beaucoup plus forte que nous. Vient un jour où nous ne pouvons plus continuer comme cela : c'est au-dessous de notre dignité. Cet esclavage devient notre vraie souffrance que ne peut plus compenser ou masquer aucun succès extérieur ni aucune peine passagère.

Alors nous posons la question : « Pourquoi ? » Pourquoi en est-il ainsi ? Celui qui pose la question pourquoi a déjà mis le pied sur le chemin de la Libération. Il veut trouver la cause, la source. Si notre « non », notre refus, notre agressivité demeurent plus forts que nous, il faut trouver la réponse au « pourquoi ». Tant que nous sommes emportés malgré nous, nous sommes vaincus même si nous marquons des points contre les autres, même si nous obtenons gain de cause matériellement.

L'humanité ordinaire se divise en deux catégories d'êtres : ceux dont la force plus puissante qu'eux s'exprime par : « Viens » et ceux dont la force plus puissante qu'eux s'exprime par : « Va-t'en ». Une fois encore il faut en revenir à la donnée essentielle : dualisme et non-dualisme. Le sage, établi dans la non-dualité, ressent tout l'Univers comme contenu à l'intérieur de sa propre conscience. Il n'y a pas un autre que lui. Il demeure en tout et tout demeure en lui. Au contraire, l'homme ordinaire, soumis à la croyance en la séparation, vit dans le désir et la peur à cause de tout ce qui n'est pas lui : êtres et choses. Pour compenser ce drame du moi et du non-moi, deux réactions sont possibles, dont l'une ou l'autre prédomine suivant les individus. La première consiste à prendre, posséder, faire soi ou faire à soi. C'est elle que désigne généralement le mot amour. La seconde à nier, à détruire, à tuer, réellement ou symboliquement, ce ou celui qui marque ma limitation. C'est ce qu'on appelle la haine. Dans les deux cas, la présence de l'autre en tant qu'un autre que moi est refusée. Les deux réactions, d'apparence strictement contraire, poursuivent le même but : annihiler la dualité, rétablir l'unité, l'unicité.

Le type de réaction s'enracine dans les profondeurs du psychisme. La dualité provoque la peur mais cette peur est parfois celle d'être abandonné, parfois celle d'être tué. L'une ou l'autre existe en nous à l'état latent et se réveille lorsqu'elle est excitée ou attisée par une cause extérieure. Naturellement, en chaque être humain, les deux tendances coexistent. Mais l'une se manifeste généralement tandis que l'autre ne s'exprime pas. Celui ou celle qui, lors d'une divergence de vues avec l'autre, se sent abandonné et dont l'attitude est celle du : « Viens », veut aussi inconsciemment tuer celui ou celle qui l'abandonne. Celui ou celle qui, dans la même situation de désaccord, se sent agressé et dont le comportement est celui de : « Va-t'en » supplie inconsciemment l'autre de ne pas le quitter.

Si nous n'avons aucune possibilité de maîtrise sur une certaine situation type, c'est que, chaque fois, nous ne vivons pas la situation mais une autre gravée, marquée, imprimée en nous dans la petite enfance. Un enfant s'est senti abandonné par sa maman. Devenu adulte, il s'angoisse dès que son épouse est en retard ou manifeste son désaccord même sur un détail secondaire. Une petite fille a été, ne serait-ce qu'une fois, agressée par son père ou sa mère. Devenue femme, elle se sent inconsciemment menacée de mort parce que son mari lui adresse une critique insignifiante. Certains sont mis en question parce qu'un ami ne répond pas à une lettre, d'autres parce qu'une lettre n'est pas celle qu'ils espéraient. Certains se sentent sans cesse tués par abandon, d'autres tués par agression. A des degrés différents tout le monde rentre dans une des deux catégories, tout le monde est prisonnier du passé. Une épouse dit à son mari : « Je m'absente deux minutes ». Entreprenant de faire la vaisselle ou de se coiffer elle n'est pas revenue dans la chambre vingt minutes plus tard. Si par exemple — un exemple bien courant et banal — l'époux est un aîné qui a perdu « sa maman à lui » lors de la naissance du cadet, il n'y a pas dans la pièce un adulte dont la femme a changé d'avis mais, dans le corps d'un adulte, un enfant que sa mère, sa mère telle qu'il la connaissait, sa mère qui était tout pour lui, a « abandonné » et n'est jamais revenue. Si un homme de trente ans a envie de frapper le menuisier qui a raté sa bibliothèque, s'il veut le tuer, c'est pour se défendre parce qu'il croit qu'il va être tué. Qui, qui veut-il tuer aujourd'hui par qui il s'est senti assassiné autrefois ? En ces instants il ne faut surtout pas se contenter de dire que c'est l'événement extérieur qui est responsable et qu'il est tout à fait normal d'avoir réagi si fortement.

Quand un adulte réagit violemment, hors de proportion avec la situation donnée, c'est que les gens ou les événements lui font beaucoup plus mal, infiniment plus mal, qu'ils ne lui font apparemment, pour des yeux extérieurs. Seuls peuvent le comprendre ceux qui ont vécu ces mécanismes en eux et qui s'en sont rendu libres, ce qui n'est pas un chemin aisé, bien loin de là.

La vie, ou la manifestation, est un perpétuel changement. Pour le sage, cette permanence apparaît comme une fête, une fête éternelle de nouveauté. Tout est neuf, tout le temps, toujours, partout. L'homme ordinaire au contraire garde la nostalgie d'autrefois, de l'enfance, du bon vieux temps, ou projette sur l'avenir la peur du passé. Il porte et traîne partout avec lui le poids, le fardeau du passé. Il n'est jamais parfaitement dans le présent, encore moins dans « l'éternel présent » *(timeless time)*. Etre libre du passé, c'est être aussi libre du futur, libre du temps, libre de la cause et de l'effet, libre de la multiplicité.

Se libérer du passé — un passé qui remonte bien au-delà de cette existence — c'est en cela que consiste essentiellement la Voie.

3

VIVRE AU PRÉSENT

Non seulement l'homme ne perçoit pas la Réalité ultime mais il ne voit même pas telles qu'elles sont les apparences du monde phénoménal. Il ne les voit qu'à travers le voile ou l'écran de son mental. Et ce mental a comme propriété de faire toujours de toutes les choses autre chose que ce qu'elles sont. Cet aveuglement porte d'ailleurs un nom très noble : il s'appelle « penser ».

Toute la psychologie, toute la haute sagesse se résument en deux termes : je et mon mental.

« Je » peut voir et sentir, acquiescer aux êtres et aux événements tels qu'ils sont. C'est ma vérité, faite pour être une avec toute vérité. C'est aussi la paix, l'équilibre, l'harmonie. Mais mon mental me condamne à vivre dans le monde irréel, artificiel et superficiel qu'il a construit et ne cesse de renforcer. Il craint des dangers inexistants, espère des résultats impossibles, tire des conclusions erronées, se cramponne à des valeurs fausses et accuse les autres de ses propres torts. Pour le mental rien n'est jamais neutre, tout est bon ou mauvais selon ce qui lui plaît ou lui déplaît. Le mental ne fonctionne que par comparaisons et en référence à des souvenirs inconscients, selon le moule d'expériences infantiles lointaines et oubliées qui dirigent à notre insu toutes nos réactions, tous nos succès, tous nos échecs. Si l'amour « excuse tout, croit tout, espère tout, supporte tout » (Saint Paul), le mental, lui, invente tout, dénature tout, interprète tout, déforme tout. La plus belle prouesse du mental est de nous imposer même une conception de ce que serait notre vérité et notre spontanéité. Si nous tentons de redevenir nous-même, nous voyons qu'à l'intérieur d'un mensonge se trouve un autre mensonge à l'intérieur duquel se trouve un autre mensonge, etc. Nous ne savons plus comment nous exprimer sincèrement et « authentiquement ».

Pour être entièrement mensonger, le monde créé et surimposé au monde réel n'en est pas moins tout à fait cohérent et convaincant. Quand je parle ici du monde réel, j'entends le monde relativement réel, celui des phénomènes, de la multiplicité, de la succession dans le temps.

Le sage qui est passé du plan normal au plan supranormal, a réalisé la Conscience illimitée, unique, libre du temps, de l'espace et de la causalité. Mais dans le monde moderne, 90 % des hommes et des femmes, surtout parmi ceux qui prétendent au supranormal, n'ont même pas accès au monde normal, au monde relativement réel. Ils sont entièrement prisonniers du monde illusoire et fantastique sans cesse produit et maintenu par le mental et les émotions. Le monde vrai, perçu par ceux qui ont « des yeux pour voir », et celui du mental se composent des mêmes éléments mais sont radicalement différents, sans commune mesure. La psychologie a commencé à étudier cette question, notamment le mécanisme des « projections ». « Tout ce qui est inconscient est projeté », projeté sur les objets et sur les êtres.

Préserver au maximum la vision des enfants, empêcher au maximum la formation du mental a été — et devrait être — le principe directeur de toute éducation. Les lois et même des vestiges de cette éducation consciente peuvent encore se retrouver aujourd'hui, ici et là, en Orient, où ceux que cela intéresse peuvent les étudier. Le mot d'ordre de l'éducation traditionnelle a toujours été : apprendre à l'enfant à voir et accepter de façon neutre ce qui est. Ce même terme anglais *neutral* est celui qui est employé, en langage automobile, pour désigner le point mort, lorsqu'on n'a engagé aucune vitesse.

L'enfant apprend à voir sans engager émotionnellement ses préférences, ses répulsions, sans le terrible écran qui consiste à penser que cela pourrait être ou devrait être autrement. Aujourd'hui, au contraire, l'enfant s'accroche à ses désirs et à ses refus. Du matin au soir il entend les adultes décréter : « C'est bien ». ou : « C'est mal ». Il perçoit et enregistre toutes les émotions de ses parents. Des principes moraux et des jugements de valeur lui sont imposés qui contredisent ce qu'il ressent. Il condamne certaines de ses impulsions et les refoule sans en être pour cela libéré le moins du monde. Son développement se fait par cristallisation autour d'impressions emmagasinées dans l'inconscient, à partir d'un drame ou des drames de sa petite enfance, qui demeurent aussi puissants et actifs qu'ils sont oubliés.

Tant et si bien que l'adulte « voit tout de travers », est « complètement tordu » (ce qui traduit, en effet, le mot *distorted* utilisé par les sages). Mais comme son monde s'impose à lui avec une ruse consommée, il le considère comme le monde, ne le met pas en doute, ne permet pas qu'on le mette en doute. C'est une supermaya à l'intérieur de la maya par laquelle chacun est hypnotisé. Un proverbe dit : « Cherchez la femme ». Non : « Cherchez l'émotion ». Tout le monde demeure étranger à tout le monde, c'est le dialogue de sourds, la Tour de Babel.

Comme le vrai monde, ce monde du mental est peuplé de pères, mères, épouses et enfants, d'associés et de concurrents, de maîtresses et d'amants, et tissé de joies et d'épreuves. Tout est faux. Le mental et les émotions « savent », « voient », « jugent », « comprennent » tout de travers, toujours par préjugé, toujours en référence inconsciente à des expériences passées. Moyennant quoi les actions des autres sont interprétées et leurs intentions déformées, les conséquences sont mal prévues, le sens des événements méconnu, les dangers inventés de toutes pièces.

Ce délire général n'épargne personne. Il faut avoir le courage de dire que le rêve est partout, dans les réussites et les échecs, chez les gens « très bien » comme chez les individus asociaux. Tout le monde est mené par son inconscient mais comme l'inconscient est inconscient chacun est inconscient qu'il est mené par son inconscient. « Quel asile de fous Dieu n'a-t-il pas créé », a dit la célèbre sage bengali Ma Anandamayi.

Le mental manifeste la situation affective de l'enfant conservée à l'âge mûr. Il n'y a plus d'adultes véritables, rien que des hommes et des femmes plus ou moins adultes, plus ou moins infantiles. L'adulte parfait, c'est le Sage. Il est entièrement libéré du passé donc du futur. L'homme normal, espèce à peu près disparue, vit le présent à la lumière *du passé en général :* tout le monde a quelque chose à voir avec le père, la mère, les expériences diverses, chacun est conditionné par les impressions qui l'ont formé peu à peu. Mais presque tout le monde est aussi prisonnier *d'un passé particulier,* d'un événement ou d'une situation conservée intacte et bien vivante dans l'inconscient. Cette situation est le moule ou le cadre fixc à travers lequel toute l'existence est vécue, sans qu'aucune véritable croissance demeure possible.

Rien n'est même plus « normal ». L'un vit dans la terreur refoulée du changement, l'autre se croit en permanence trahi ou abandonné, un autre encore entend le moindre jugement comme si on l'assassinait. Il y a des hommes perdus si un collègue ne répond pas à leur sourire et des femmes tuées parce que leur mari préfère leur robe de la veille. Si le sentiment est la reconnaissance d'une réalité, la perception du cœur, l'émotion cache toujours sa véritable origine. « Pourquoi êtes-vous dans un état pareil ? » — « Parce que mon patron ceci... Parce que mon grand fils cela... » — « Non. » — « Ah ! Et parce que quoi alors, puisque vous êtes si malin. » — « Si vous voulez le savoir, il vous faudra des années de courage et de dure lutte, et même de temps à autre de l'héroïsme. » — « Eh ben ! Vous parlez si je m'en fous. »

Le malheur c'est que quand les parents s'en foutent de se comprendre eux-mêmes, autrement dit, se foutent de la vérité, ce sont les enfants qui sont empoisonnés peu à peu, jusqu'à ce qu'ils soient eux aussi complètement « tordus ». Ceci n'épargne ni les familles pieuses, ni les familles idéalistes, ni les familles bien-pensantes.

Même si un être humain a compris le tragique de sa situation, la libération du passé particulier demeure une tâche longue et douloureuse. Mieux cet être s'accepte lui-même, mieux il se comprend, plus il voit qu'il doit lutter toute la journée avec l'hydre aux mille têtes des projections inconscientes.

Oser se laisser couler, noyer dans le noir abîme des terreurs et des désespoirs refoulés demande beaucoup de courage et la compagnie d'un guide aussi sûr qu'un véritable maître. Cette chute dans le gouffre intérieur est décrite en Orient de différentes façons : « descente aux enfers », « récurage de la mare », « déraciner l'arbre au lieu de couper les feuilles qui repoussent chaque année », « s'attaquer à la cause et non aux effets », « ce qui est réel n'est pas le manifesté mais le non-manifesté ».

⁂

Lorsque l'homme ou la femme commence à savoir que son corps, son intellect, son sexe d'adulte sont les instruments à travers lesquels s'exprime un enfant de trois ans ou un bébé de trois mois, il doit avoir le courage de vivre à cheval sur les deux mondes : celui de l'adulte ou de la vérité et celui de l'enfant en lui ou du mental.

« L'enfant » ramène tout à lui. Pour « l'enfant » l'autre n'existe pas ou n'existe que pour satisfaire ses besoins. Naturellement cet égoïsme parfait est masqué, déguisé en beaux sentiments et trouve toujours des justifications. On « aime » beaucoup par égoïsme infantile. En même temps l'adulte commence à voir, à sentir, à voir l'autre, à sentir ses besoins, son humeur du moment, les causes de son comportement. La libre vision de l'adulte et la fausse vision de l'enfant en lui se contredisent complètement. « L'enfant » trouve toujours des prétendus faits pour prouver qu'il a raison et imposer ses émotions avec les pensées mensongères qui en découlent. Si le petit enfant s'est senti abandonné, le pseudo-adulte verra partout des signes d'abandon. Si le petit enfant ne s'est pas senti aimé, le pseudo-adulte verra toujours des preuves qu'il n'est pas aimé. A partir de là, l'homme qui n'est pas vigilant, qui n'est pas engagé sur la Voie, va agir, intervenir, faire (un « faire » dérisoire qui est le contraire de *to do*), alourdir son *Karma* de jour en jour et s'enchaîner de plus en plus. Sa vie n'est que la caricature d'une vie d'homme : ou bien une suite de déceptions, de souffrances, de réactions et de compensations, ou bien le succès d'un mensonge ronronnant, la mort intérieure et l'identification au personnage que l'on joue dans l'existence.

Si le mental nous ment très bien à nous-même il trompe beaucoup moins bien les autres. « Ce que tu es crie si fort que je n'entends pas ce que tu dis ». Ce que je suis c'est le cœur, ce que je dis le mental. Ce que je suis c'est la profondeur, ce que je dis la surface. Quand on n'est pas capable de faire une chose on aime enseigner aux autres comment la faire. Plus quelqu'un doute de lui et essaie de nier ce doute, plus il se sent une vocation d'éducateur. Mais ses auditeurs ou ses disciples ne lui pardonneront jamais ses failles. Et les failles en question, il ne parviendra jamais à les leur cacher longtemps. Le vrai maître n'enseigne que ce qu'il a d'abord accompli lui-même et chacune de ses paroles exprime la vérité de son être.

L'homme qui a pris le chemin de la croissance intérieure a l'honnêteté, l'humilité et surtout le courage de s'accepter tel qu'il est, de ne pas nier son infantilisme. Il devient adulte dans la mesure même où il reconnaît qu'il ne l'est pas. Peu à peu le petit enfant en lui va grandir, se transformer donc disparaître. Je me souviendrai toujours de cette réponse : « Un sage ? C'est un adulte parfait. » Ce n'est plus un homme, c'est l'Homme.

Ce mental est devenu tellement puissant, tellement envahissant que le pauvre je, le vrai je, le « cœur » est complètement étouffé, perdu de vue, incapable même de s'exprimer. Alors parfois il « éclate », dans l'effort désordonné d'une colère ou d'un désespoir pour faire entendre sa voix de petit enfant affamé *de pouvoir être lui-même.*

⁂

Ce mental, qui pense et décide pour nous mais qui n'est pas nous, a une origine. Parfois en un jour, parfois en quelques expériences, l'enfant que nous avons tous été a perdu contact avec la réalité parce que celle-ci lui est devenue brusquement, au sens rigoureux du terme, insupportable. Ceci correspond aux traumatismes infantiles refoulés redécouverts par la psychanalyse. Mais la sagesse orientale en tire depuis toujours des conclusions encore bien plus rigoureuses. Il est d'ailleurs étonnant que, par ignorance des véritables enseignements hindous ou bouddhistes (et même soufis), les psychologues contemporains, y compris C.-G. Jung malgré son respect pour l'Orient, prétendent fonder une science nouvelle. Cette science, pleinement évoluée, fait partie du patrimoine de l'humanité depuis trois ou quatre mille ans au moins. Encore faut-il aller l'étudier aux sources et en acceptant les épreuves imposées par sa recherche et les conditions établies par les maîtres qui la détiennent.

La fantastique (pour nous) affirmation de l'ancienne connaissance est que l'homme n'a pas besoin de ses émotions pour vivre. Un homme qui n'aurait pas de sensations, qui ne percevrait ni le trop chaud ni le trop froid, ni les douleurs organiques, verrait son existence sans cesse menacée. Mais un homme peut parfaitement vivre sans émotions, sans indignations, sans colères, sans jalousie, sans rancune, sans excitation, sans joies éphémères et sans peines passagères. Car ni les joies, ni les peines ne durent. Pas d'émotions mais un sentiment permanent d'amour et de paix, de participation et de sécurité. Il existe de tels hommes (et de telles femmes). C'est notre nature véritable, faite d'équilibre et d'harmonie. C'est à cela que nous aspirons tous, derrière notre poursuite désordonnée des joies ou des plaisirs et nos réactions aveugles aux souffrances et aux angoisses. Nous rêvons d'aimer et nous considérons l'amour comme une des plus hautes formes du bonheur humain. Mais dès qu'un être est tombé amoureux, derrière son exaltation, il prend peur inconsciemment. Le centre en lui ne veut point être emporté et veut retrouver le calme qui n'a pas de contraire. Il ne peut, bien sûr, se faire entendre. Alors, *inconsciemment,* celui qui croit aimer le plus souhaite être libéré de son amour. Inconsciemment il désire la fin de cette passion ou la mort de la personne aimée, promesse que son amour ne sera jamais déçu, jamais trahi et que le pendule ne basculera pas autour de son axe vers la blessure, l'amertume, la détresse. Ces sentiments sont naturellement niés et refusés et, consciemment, l'amoureux est, au contraire, en proie à la peur de cette mort qu'il craint d'autant plus qu'il la veut sans le savoir et qu'il ne comprend pas l'origine de son anxiété.

Il existe bien un amour entre l'homme et la femme, et même une relation sacrée entre les deux sexes dont je parlerai dans un autre chapitre. Mais cet amour n'a rien — ou bien peu — à voir avec ce que l'Occidental contemporain entend par ce mot.

Il faut bien distinguer émotion et sentiment. Le

Sage, l'être « libéré », éprouve en permanence le sentiment d'amour et de joie suprême (félicité, béatitude). Mais l'homme peut vivre sans émotions. L'émotion est la compagne du mental. Sans mental pas d'émotion. Sans émotion pas de mental. Avec le mental et l'émotion, pas de vérité.

En anglais, le même mot *feeling* désigne le sentiment et la sensation. Cela paraît toujours confus aux Français. Mais ce terme traduit une perception directe, sans l'écran du mental ou de l'émotion, que ni « ressentir », ni « éprouver », ne rendent parfaitement. *To feel*, c'est avoir « des yeux pour voir et des oreilles pour entendre » et non un mental pour ne point voir et ne point entendre, pour voir et entendre autre chose que ce qui est. Le mental-émotion *(mind, thinking* par opposition à *feeling* ou *seeing)* est parfaitement inutile mais c'est en quoi consiste presque toute la vie intérieure de presque tous les hommes et toutes les femmes au-delà de quelques années d'âge.

⁂

Le mental naît, commence à fonctionner, lorsque l'enfant — ou le bébé — refuse les conditions de vie qui lui sont faites. Souvent, je l'ai dit, il s'agit d'un événement particulier, un choc bien précis, un changement brutal survenu dans ses habitudes matérielles ou sentimentales, que l'enfant livré à lui-même n'a absolument aucune possibilité de comprendre, d'assumer, d'assimiler. A l'insu de ses parents aveugles qui constateront simplement que « le gosse — ou le bébé — est devenu bien nerveux tout d'un coup », le malheureux petit être est terrassé, terrifié, suffoqué au sens propre du terme, et, si une éducation véritable ne vient pas redresser la situation, toute sa croissance physique, émotionnelle et mentale a été, en cet instant, déterminée pour toujours.

Parfois aussi, ou bien les deux origines se retrouvent, la formation de la prison du mental — mensonge, écran permanent entre nous et le reste du monde, source de toutes souffrances — se fait peu à peu, grâce à la bienveillante attention des parents et des éducateurs. Je n'en donnerai qu'un exemple mais il est significatif. En courant sans faire attention, un enfant se cogne contre la table (qui n'y peut mais) et se fait mal. Le maman, la mémé, le tonton — celui qui est là — dit à l'enfant : « Vilaine table, méchante table, on va taper la table qui t'a fait mal. Tiens. Pan, pan, bien fait pour toi, table, la prochaine fois tu feras pas mal à Toto. »

Assassin. Oui, assassin, et malheur à ceux qui tuent non les corps mais les âmes. La table est là, immobile, neutre. L'enfant est venu frapper la table. Ce sont les faits. L'enfant pouvait voir et sentir une vérité à sa mesure. On l'empoisonne, on le tue, en l'engageant dans un monde irréel, illusoire, qui vient encore recouvrir le monde déjà irréel et illusoire des phénomènes sensibles.

Brusquement ou peu à peu, l'enfant quitte le monde de ce qui est pour vivre dans son monde à lui, le monde de ce qui devrait être et de ce qui ne devrait pas être. Il n'est plus unifié mais divisé entre le monde et son monde, prisonnier de la dualité.

Ainsi l'enfant refuse ou apprend à refuser le monde extérieur. Il faut bien dire que parfois, souvent, beaucoup plus souvent qu'on ne pense, ce monde a été, pour le petit ou le tout petit, atroce. Ce sont les fameux « traumatismes » si à la mode dans les conversations. Mais il faut absolument tout ignorer de ses propres traumatismes, si profondément enfouis, si soigneusement oubliés, pour pouvoir en parler à la légère. Les stupides et bienveillants adultes ne voient rien, ne perçoivent rien, ne comprennent rien. Près d'eux — et dans les familles les plus respectables, harmonieuses, unies — des petits et des tout-petits agonisent de désespoir et de terreur, suffoquent, paniqués, affolés, incapables de comprendre ce qui leur arrive et pourquoi une telle horreur leur arrive. Tout lecteur qui ne connaît pas de quoi je parle ou qui seulement croit le connaître, dira : « Desjardins ne sait plus ce qu'il raconte ». Mais je ne suis pas seul à savoir que c'est vrai... Que penserions-nous d'un adulte qui, le même jour, devrait faire face à sa ruine, la mort de sa femme, l'internement de son fils dans un asile ? Bien des petits enfants autour de nous, à l'insu de tous, connaissent à leur échelle des souffrances aussi grandes, bien plus même car ils n'ont aucune armature pour les affronter, aucune référence pour les situer.

Ces drames, ces déchirements sont tellement impossibles à supporter qu'en effet ils ne le sont pas : ils sont niés, refoulés, compensés et oubliés. Si oubliés et si étouffés que je connais, hélas, plusieurs adultes qui après des années coûteuses de psychanalyse n'ont jamais pu les retrouver, les laisser remonter à la surface, les revivre. Alors on camoufle l'échec et on dit simplement que la névrose n'est pas d'origine traumatique. Comme le patient a pleuré en avouant qu'il aimait sa belle-sœur, hurlé : « salope » en pensant à sa mère et sangloté : « maman, maman » la séance suivante, avant de découvrir qu'il était fait pour être marin et non pas professeur et comme tout cela sonne vrai, il est émerveillé par sa découverte de l'inconscient... et demeure en prison.

L'éducation traditionnelle, dans la famille d'abord, auprès des maîtres ensuite, était conçue pour éviter au maximum les traumatismes brutaux et les empoisonnements à petit feu, et pour la réadaptation au monde réel des enfants partis dans leur monde imaginaire.

Je sais que tout ce que je dis là est proche de la psychologie moderne. C'est pourquoi je tiens à préciser une fois encore que mes sources sont orientales et anciennes. J'écris ces pages pendant la mousson de 1970, dans un petit ashram du Bihar où je séjourne. Je n'ai aucune formation psychanalytique et je ne cherche pas à parler en amateur d'un domaine que je ne connais qu'indirectement. Je parle de ce que j'ai étudié pendant des années, en Asie. Tant mieux si une partie des vérités que nous avions perdues en Occident est peu à peu retrouvée. Mais il faut bien dire aussi qu'il y a deux différences fondamentales entre la psychothérapie et les enseignements initiatiques : celle de leur origine et celle de leur but.

Il y a aussi — je ne peux pas le cacher — un abîme entre un « maître » ou un « sage » et un psychothérapeute. Les maîtres auxquels je pense ne sont pas des êtres fabuleux, inaccessibles, des personnages de spiritualité-fiction. A part le nom de mon gourou (qui tient à rester ignoré) j'ai donné, dans mes précédents livres, les noms et parfois les photos de beaucoup parmi les sages que j'ai approchés. D'autres que moi les ont rencontrés. Je ne veux pas agrémenter les lieux ou j'ai étudié, les maîtres qui m'ont enseigné, d'un brouillard de « merveilleux » et de « surnaturel ». Et pourtant je sais — et d'autres occidentaux, médecins, chercheurs scientifiques, savent aussi — que ces termes seraient justes et que, seuls, ils peuvent traduire ce sentiment d'infini et de perfection qui sont si évidents auprès d'un véritable sage.

Je voudrais seulement montrer dans ce chapitre que le chemin vers le Soi *(atma)* est d'abord barré par les fonctionnements anormaux de notre psychisme. Aux yeux du sage nous sommes tous des aliénés. En effet l'éducation que nous avons reçue a essentiellement consisté à nous imposer comme but, parfois paré du beau nom d' « idéal », d'être un autre que nous-même. Petit pommier, si tu veux être un vrai homme, il faut que tu produises des oranges (la couleur est plus belle), des mangues (tu montreras que tu n'es pas n'importe qui) ou des cerises (il y en a tellement plus par arbre à chaque printemps), pas des pommes.

⁂

En même temps que l'enfant est coupé du monde extérieur et apprend à en nier la réalité, on lui enseigne aussi à nier son monde intérieur, ses impulsions, ses désirs, ses haines, à avoir honte de beaucoup des pensées et des émotions que sa souffrance fait naître en lui. L'incident fondamental, la source de son refus du monde est oubliée. Mais cette racine subsiste dans le non-manifesté. On peut même physiquement, organiquement, la localiser dans la poitrine, dans le « cœur » en tant que siège des émotions ou du sentiment. Indirectement elle ne cesse de se manifester. Les situations nouvelles sont vécues à travers le cadre pré-établi inconscient. L'enfant (et l'adulte continuera) vit tout à travers ce moule qui s'est formé quand il avait deux ans, deux mois, deux semaines, ou même moins. Toutes les situations, toutes les relations sont appréhendées inconsciemment comme répétant cette situation initiale. Inconsciemment, il sent partout la même menace (séparation, perte, agression, trahison). Il voit en tous les mêmes acteurs (le père, la mère, un frère, une sœur, lui-même avant ou après le drame). Naturellement s'élèvent en lui des désirs intenses, immenses, merveilleux de possession, des haines farouches fondées sur sa peur, des jalousies déchirantes. La manifestation, l'expression de ces émotions lui vaut presque toujours un, : « Tu ne dois pas », « Tu ne devrais pas » ou : « Ce n'est pas bien ».

Il est probable que lorsque le petit enfant a voulu exprimer la terreur ou le désespoir suscités par son drame initial, cette expression (cris, sanglots, violence, rage) n'a fait qu'aggraver sa situation. Il comprend confusément que plus il veut regagner ce qu'il a perdu ou effacer ce qu'il a subi, plus le mal augmente. Au lieu d'exprimer, repousser au-dehors ce qui l'opprime, il apprend de lui-même à réprimer. Pour l'enfant, être lui-même, naturel, c'est manifester sa souffrance. Si cela ne lui est pas possible, s'il ressent confusément qu'il ne doit pas exprimer librement, qu'il ne doit pas être spontané, il sent du même coup qu'il ne peut pas, qu'il ne doit pas être lui-même. C'est la pire tragédie qui puisse arriver à un être humain. L'enfant va demeurer infantile, mais il ne sera plus jamais « pareil à un petit enfant » au sens que le Christ donnait à ces mots. Le besoin primordial d'être soi-même demeure dans l'inconscient. Non seulement il y a conflit entre le conscient et l'inconscient mais l'inconscient lui-même est un conflit entre l'expression et la répression, le désir de manifester et la peur — ou même la terreur — de manifester, le désir d'être soi-même et la peur d'être soi-même et cette situation va durer toute la vie. Plonger dans son inconscient, c'est souvent devenir le témoin de ce combat déchirant, de cette « dualité ».

Ensuite cette tendance est renforcée par les menaces ou les injonctions des éducateurs et leurs appels au bien. Des réactions inévitables, normales, sont attribuées à Satan, considérées comme honteuses. On ne se préoccupe pas de savoir quelle peut bien en être la source cachée. On les juge et on apprend à l'enfant à les juger, à se refuser lui-même au lieu de se comprendre lui-même. En même temps on lui propose un idéal absolument inaccessible et que ceux qui le lui imposent savent très bien n'avoir pas réalisé eux-mêmes. Si bien que le mental de la plupart des enfants est déchiré entre les deux termes : « Je dois » et : « Je ne peux pas », situation éminemment douloureuse qui est naturellement réprimée elle aussi et compensée par une nouvelle acrobatie de ce même mental. Un enfant ne devrait jamais éprouver : « Je n'ai pas pu », mais au contraire : « J'ai pu ceci », même si ce n'est qu'un petit peu. L'expression négative est toujours fausse, car elle fait intervenir la comparaison avec « un autre » qui, lui, aurait pu. L'enfant perçoit qu'il aurait du être cet autre, que cet autre est lui-même tel qu'il devrait être. Or, notoirement, ce n'est pas lui. Par là, la prétendue éducation crée seulement la division, alors que l'unité ou le non-dualisme est toujours et partout la vérité. L'attitude positive : « J'ai pu jusque-là » préserve chez l'enfant le sentiment d'être lui-même. C'est la promesse de la croissance et du progrès. Le pire crime que puisse commettre un éducateur c'est de demander à l'enfant d'être un autre que lui-même. Seul est fort celui qui est lui-même.

Peu à peu le fossé entre la vérité et le mental, le cœur et la tête, la profondeur et la surface, moi-même et une caricature de moi-même, s'élargit et s'approfondit jusqu'à ce qu'il n'y ait plus aucune communication consciente possible. Le boulot des éducateurs est terminé. Il n'y a plus qu'à rajouter une petite touche de temps en temps. A l'âge de cinq ou six ans la partie est jouée. Le reste n'est plus que du fignolage. Voilà un enfant bien élevé, un adolescent révolté, un adulte névrosé, un être humain aliéné, devenu un autre que lui-même. Te voilà, lecteur, sinon tu n'aurais pas acheté ce genre de livre.

Ces dernières pages précisent et explicitent sur un

point particulier l'enseignement traditionnel, exposé dans le précédent chapitre, sur le réel et l'irréel, la cause et l'effet, l'ignorance et la vision et sur la souffrance et la source de la souffrance.

Si au Lycée, je fais bien ma sixième, je passe en cinquième, si je fais bien ma cinquième je passe en quatrième et ainsi de suite. Si j'accomplis bien mon âge de deux ans, je vis normalement mes trois ans, si j'accomplis bien mon âge de trois ans, je vis normalement mon âge de quatre ans. Si j'accomplis bien mon enfance je vis normalement mon adolescence et si j'accomplis bien ma jeunesse je vis normalement mon âge adulte et ma vieillesse. Chaque âge a ses plaisirs, ses droits et ses devoirs. La première partie de la vie est tournée vers le monde extérieur, la seconde vers le monde intérieur, le détachement et la préparation à la mort.

Mais si, à un âge quelconque et surtout dans la petite enfance, il y a impossibilité d'expression, frustration, doute grave, division intérieure, perte de confiance en soi-même et refus d'une situation, toute possibilité de croissance du sentiment et de développement harmonieux est arrêtée. Le processus normal d'une existence est complètement faussé. Emotionnellement, affectivement, l'enfant demeure au même âge, tandis que son corps grandit et que ses connaissances intellectuelles augmentent. Une vie entière d'homme ou de femme avec ses drames, ses triomphes, ses violences, ses échecs ou ses succès amoureux, n'est souvent que la série des manifestations successives de la même fixation, du même incident particulier, survenu peut-être à l'âge de trois semaines. Quelques minutes pendant lesquelles une mère a, comme on dit, « complètement perdu les pédales » en face de son bébé suffisent pour expliquer tout un destin.

Il faut bien se rendre compte que, pour le bébé ou le petit enfant, la mère représente tout l'Univers, toute la nature, tous les êtres. Si un adulte a une difficulté grave avec son métier, sa famille lui reste, s'il perd son conjoint, ses amis lui demeurent. Un enfant qui sent que sa mère s'est tournée contre lui vit la situation — inconcevable — de l'homme contre qui, au même instant, le ciel, le soleil, la terre, l'océan, tous les arbres, tous les animaux, tous les hommes, tout ce qui existe — je dis bien tout — s'unirait brusquement pour le détruire. Il n'est pas difficile d'imaginer quelle terreur cela peut signifier.

Les civilisations traditionnelles, en particulier la civilisation hindoue, ont, depuis toujours, su l'importance de la mère pour déterminer le destin futur des êtres. J'en parle dans le Tome I de cet ouvrage mais je veux insister encore. Une oupanishad dit : « Deviendra un sage, celui qui aura eu une mère, un père et un acharya » (instructeur). Une sentence hindoue bien connue affirme aussi : « Un père vaut cent acharyas et une mère vaut mille pères ». La mère est sacrée en

Inde parce que des mères dépend ce que seront les hommes et les femmes de la prochaine génération. L'être d'un homme ou d'une femme adulte — donc sa capacité au bonheur ou sa condamnation au malheur — se détermine dans sa petite enfance. Cette certitude explique beaucoup de traits incompréhensibles ou même choquants pour nous des sociétés orientales où les femmes ne sont pas « émancipées ». Les structures de ces sociétés, en particulier, naturellement, celles qui concernent l'organisation de la famille, sont destinées à donner au petit enfant les conditions matérielles et affectives indispensables à son développement harmonieux.

L'ancienne organisation de la société orientale a subsisté jusqu'à présent dans certains milieux que l'on peut presque considérer comme des musées vivants et au sein desquels j'ai fait des séjours nombreux. C'est la plus parfaite contestation de la société de consommation. Mais cet « ordre » est tellement aux antipodes de nos conceptions actuelles qu'il est le plus souvent apparu aux étrangers comme un ensemble d'oppressions dont il faut émanciper les malheureuses victimes.

Un ordre juste est nécessaire pour donner à chacun les conditions de la liberté intérieure, pour que les hommes soient des hommes, les femmes des femmes et les enfants des enfants parfaitement épanouis à chaque âge successif. La vraie liberté est la liberté psychologique, le fait de n'être pas prisonnier de ses peurs, de son agressivité, de ses désirs inassouvis. Cette liberté-là, garantie de paix et de sérénité, seul un ordre harmonieux peut la donner. Par contre il ne faut pas s'étonner de la révolte — même violente, même aveugle — contre un ordre dégénéré, fondé sur le mensonge et qui opprime l'homme et l'aliène.

Dans une société traditionnelle chacun conçoit son rôle comme un service mais jouit d'un respect qu'on trouve rarement dans les familles actuelles. Le sens du sacré donne une qualité et une dimension supérieures à toutes les relations. Je sais des maris hindous qui se prosternent devant leur femme, des épouses devant leur époux, chacun voyant en son conjoint une incarnation particulière de la Divinité en tant que Principe masculin ou féminin, Purusha et prakriti, Shiva et shakti. La vénération vouée aux mères est à la mesure de leur rôle. La vraie question, lorsqu'on parle de bonheur, est une question de plénitude et de « contentement » ou, au contraire, de manque et de frustration et, je ne le répéterai jamais trop, la partie se joue dans les premières années de l'existence. Donner à l'enfant son plein d'amour est un des fondements des anciennes sociétés. Cela n'exclut nullement une sévérité également nécessaire pour préparer de véritables adultes, intérieurement armés pour faire face sans émotion aux inévitables « agressions » de l'existence.

Aujourd'hui, parce que leur départ dans la vie a été manqué, des millions d'hommes et de femmes souffrent d'une insatisfaction si fondamentale qu'ils ne peuvent se réconcilier avec le monde où ils doivent vivre. Ce monde n'est, en vérité, que les circonstances attirées ou projetées par leur être même. Ils ne le savent pas et ils sont condamnés à la violence, condamnés à « faire la révolution », tournant le dos à la liberté.

Une société fondée sur l'augmentation incessante des besoins par les suggestions directes de la publicité ou indirectes des livres, journaux, films ne peut « produire » qu'une insatisfaction généralisée. C'est cette société que l'Occident a réussi à imposer à l'Orient sous prétexte de lui apporter les bienfaits de la Civilisation. Et Dieu sait que les Orientaux ont longtemps lutté et résisté et qu'ils ne nous demandaient absolument pas de venir augmenter leur « bien-être ». Ils travaillaient moins que nous et se contentaient de peu pour vivre. Mais étaient-ils tellement moins heureux que nous le sommes ? J'ai vécu assez souvent et assez longtemps comme un oriental pauvre, privé de tout ce qui fait notre vie moderne, pour parler d'après ma propre expérience. Je dis « pauvre » et non pas « miséreux ». L'horreur des banlieues de Calcutta ou de Bombay n'est en rien une conséquence des conceptions hindoues qui fondaient la vie sur le village et nullement sur l'industrialisation, la concentration urbaine et la création d'un sous-prolétariat déshumanisé. Le même hindouisme a engendré autrefois, et pendant des siècles, une société florissante qui faisait l'admiration des voyageurs étrangers.

Cette société produit des adultes heureux parce qu'elle produit des mères. Dès que des époux ont un enfant ils ne sont plus d'abord mari et femme mais d'abord père et mère.

La vie du couple est jalonnée de cultes, rites, cérémonies qui lui donnent une grandeur supra humaine. L'homme et la femme acceptent sans réticence le changement inévitable, le vieillissement. Tout le monde s'adresse à l'épouse en l'appelant non pas « madame » mais « mère ». Et que ces mères sont belles ! Libérées de la tyrannie de la mode (le sari demeure pareil à lui-même à travers les années) et du coiffeur (elles soignent elles-mêmes, avec des huiles végétales, leurs longues chevelures noires), le visage sans rides, sereines, rayonnantes, elles sont la lumière de l'Inde. Comblées par leurs époux, conscientes de leur fonction dans la société, elles attirent à elles les hommages et la vénération que justifient leur dignité et leur noblesse. Les amis de leurs grands fils viennent leur demander leur bénédiction. Certains, spontanément, s'inclinent devant elles pour toucher la poussière de leurs pieds. J'ai souvent, bien souvent éprouvé ce sentiment de profond respect pour des femmes, des « mères », encore jeunes, de la société indienne qui vit toujours à l'ancienne mode, pour des femmes « non-émancipées ».

Lorsqu'un homme s'incline devant une femme pour lui demander de le bénir, n'est-ce pas aussi flatteur pour celle-ci que s'il se contentait de penser — comme le comportement de tant de nos contemporaines nous le suggère : « Tiens, je me l'enverrais bien, celle-là, si je pouvais... » ?

⁂

La plupart des adultes, quelle que soit leur réussite professionnelle et leur position dans la vie, expriment à travers un corps et un cerveau de quarante ou cinquante ans des émotions de deux ou trois ans. Ceci explique, entre autres, un trait caractéristique de notre civilisation contemporaine : l'incapacité des hommes et des femmes à vieillir convenablement. L'Occident est ivre de jeunesse, hanté par l'adolescence et il a perdu un personnage essentiel, celui du vieux sage, celui du patriarche. Le mot persan *pir* qui désigne les maîtres soufis en Iran et en Afghanistan, signifie tout simplement : vieux. Cette folie de jeunesse traduit un attachement au corps physique, une limitation à la conscience définie par le corps tout à fait anormale et même tragique.

Celui qui veut croître normalement doit dénouer cette fixation émotionnelle infantile, revivre ses deux ans ou ses deux mois, assumer et comprendre ce qu'il n'avait pu ni supporter ni résoudre, et refaire le chemin manqué vers l'âge adulte.

Ce chemin va comporter trois étapes. C'est d'abord la libération de l'émotion réprimée depuis tant d'années et qui, après s'être tellement manifestée de façon détournée, va s'exprimer directement. Elle entraîne avec elle le retour à la conscience du souvenir traumatisant qui est revécu avec autant de réalisme qu'un drame actuel. Ensuite, quand l'émotion emmagasinée a été suffisamment épuisée et qu'il est possible de revoir de façon neutre les détails de l'événement autrefois intolérable, demeure une protestation ou une hostilité à l'égard du responsable, le père, la mère ou un substitut : « On n'a pas le droit d'agir ainsi ». Cette rancune est dissipée par la compréhension. L'adulte fautif n'est plus vu avec les yeux de l'enfant blessé mais en lui-même, avec ses propres problèmes et difficultés. « Pardonne-leur car ils ne savent pas ce qu'ils font ». Enfin la situation est complètement inversée : l'ancien enfant devenu adulte voit les adultes d'autrefois comme des enfants attardés et prisonniers de leur propre inconscient tel qu'il le fut si longtemps lui-même. Alors vient l'acceptation et le ressentiment fait place à l'amour. Alors, et alors seulement, nous sommes enfin libres.

Un disciple indien de mon maître, il y a déjà assez longtemps, fêtait à l'ashram son anniversaire de quarante ans. Un autre disciple lui demanda ce qu'il désirait à cette occasion et quel serait le cadeau de ses rêves. Dans le cadre de l'ashram, il aurait pu répondre : « La libération » ou « la sagesse ». Il demanda seulement ceci : « Que pour mon quarantième anniversaire j'aie vraiment quarante ans ». Je me souviens aussi d'un de mes anniversaires fêtés à l'ashram et de ma prière désespérée : « Que pour mes quarante ans je puisse avoir réellement deux ans ». Oui, si je peux vivre vraiment mes deux ans, je suis sauvé.

L'enseignement fondamental commun à l'ésotérisme soufi, hindou et tibétain c'est le « non-dualisme ». Je me rappelle les derniers mots du pir afghan Soufi Akbar Khan lorsque je l'ai quitté : « *Yak ast do nist* » : « un est, deux n'est pas ». S'il y a « deux » il ne peut qu'y avoir crainte et s'il y a deux, deux ne peuvent qu'être, tôt ou tard, séparés. Le Sage a réalisé l'advaïta : un seul Brahman sans un « autre que lui ». C'est l'origine et la fin de toute la Manifestation. « Le Père et moi nous sommes un ». Et aussi : l'arbre et moi, la fourmi et moi, mon « ennemi » et moi, nous sommes un. S'il n'y a qu'un, il n'est plus ni séparation ni crainte. C'est le but de la croissance intérieure, de la vie spirituelle, de la Voie. Or la fixation à un traumatisme infantile implique la cristallisation inconsciente de la dualité, dont il est impossible de se libérer sans une ascèse bien particulière. C'est la fin de la spontanéité. Si certaines circonstances redonnent cette spontanéité à celui qui l'a perdue, que ce soit l'excitation, le sport, l'alcool, le sexe, il les recherche comme la plus essentielle valeur qu'il connaisse, même s'il ne se l'avoue pas rationnellement, même si intellectuellement, il y trouve des objections.

Beaucoup plus d'êtres qu'on ne pense, qui sont considérés comme normaux, qui ont été élevés dans des familles dites normales, ont subi des chocs très forts dans leur enfance et en ont été marqués à jamais. Il y a bien des traumatismes infiniment plus graves que le divorce et qui laissent la bonne réputation des parents tout à fait intacte. Plus le drame méconnu a eu lieu quand l'enfant était petit ou bébé plus sa marque sur la vie à venir est profonde. Même, s'il n'y a pas eu autrefois un ou plusieurs incidents aussi sérieux, l'existence de l'adulte contemporain ne s'en déroule pas moins dans la non-connaissance de soi, le mensonge et le sommeil.

⁂

Qui ne s'est écrié : « Ah ! ne plus penser, ne plus penser ! » et n'a pas béni le sommeil qui le délivre du poids du mental. Cette paix et ce repos du sommeil sont possibles à l'état de veille, avec cette conséquence qu'au lieu de dormir huit heures chaque nuit, deux à trois heures deviennent suffisantes. Pourtant, si nous essayons de ne plus penser, nous en sommes bien incapables. Cet arrêt de la formation des pensées ou des cogitations a été le but de millions d'ascètes, de moines et de yogis depuis des milliers d'années, convaincus que le mental les exilait de leur réalité profonde.

Ces pensées que nous ne décidons pas, que nous ne prévoyons même pas — dont on devrait dire non que nous pensons mais que nous sommes pensés — se succèdent sans relâche. Leur thème change au gré de nos humeurs également changeantes. Ces humeurs répondent aux sollicitation extérieures, aux bonnes et aux mauvaises nouvelles, sans que nous y puissions rien. On peut s'interdire un geste, une parole, on ne peut pas s'interdire d'être heureux ou malheureux, content ou déçu, gai ou triste, rassuré ou inquiet. L'événement nous impose l'émotion. L'émotion nous impose une orientation des pensées et une vision particulière des faits. Cette vision des faits nous impose un comportement et des actes qui, d'une part laissent leur empreinte eu nous et, d'autre part, produisent des fruits que nous serons obligés de récolter. Payer pour ses actions, pour son karma, n'implique pas une idée de châtiment, comme lorsqu'on dit d'un condamné à la guillotine qu'il a payé pour son crime. Quand on a acheté une voiture, il faut donner l'argent au concessionnaire. Il faut régler les quittances de l'électricité ou du téléphone. Nous nous trouvons toujours en face des conséquences de nos actions. Ces conséquences nous imposent de nouvelles émotions. Ces émotions nous imposent des pensées. Ces pensées nous imposent des actes. Seuls ceux qui ont lutté longtemps avec eux-mêmes pour devenir libres savent qu'ils ne le sont pas et à quel point G. Gurdjieff exprimait bien la vérité quand il parlait de l'homme « machine ». Le sage hindou nous dit : « *Until now, for the whole of your life, you have been carried away. There was no I, no doer* ». « Jusqu'à maintenant, pendant toute votre existence vous avez été emporté. Il n'y avait pas de « Je », personne pour « faire ».

Même quand nos humeurs ne nous sont pas ordonnées du dehors, elles le sont du dedans. Sans savoir pourquoi, sans que rien puisse l'expliquer nous voilà déprimé, enthousiasme, serein, agressif. Le monde immense du non-manifesté en nous a aussi le pouvoir de nous imposer des émotions et des pensées. Ce que l'homme appelle « je » ou « moi » est à la charnière — et à la merci — de deux réalités : les phénomènes extérieurs, les profondeurs inconnues du psychisme. Parfois c'est un indice imperceptible et inaperçu qui a causé la réaction de l'inconscient. Seuls l'entraînement et une vigilance déjà très vive permettent de le percevoir. Par association, un objet qui passe sous nos yeux, un décor, une parole excitent à notre insu une de nos émotions latentes.

Le mot anglais « latent » est bien souvent utilisé dans les entretiens avec les sages. Il signifie caché autant que latent. Non seulement nous avons en nous à l'état latent, la possibilité d'une certaine souffrance mais aussi la possibilité d'une certaine joie. Nous reconnaissons joies et souffrances. Nos souffrances sont le rappel ou la répétition d'une ancienne souffrance particulière, nos joies aussi. Ce qui va plonger quelqu'un dans un bonheur indicible est sans intérêt pour un autre. Je découvris par exemple qu'un sentiment de sécurité me venait de la vision d'une certaine montre de gousset en or que je reconnus ensuite pour être semblable à celle d'un grand-père maternel qui avait été tout pour moi à un certain moment dramatique de ma petite enfance. Je cite cet incident mais il en est ainsi à longueur de journée. Toutes les impressions qui nous parviennent par l'intermédiaire des cinq sens plus le mental sont interprétées en termes de dualité : plaisant ou déplaisant, agréable ou désagréable, bon ou mauvais.

Parfois le non-manifesté (les *latent tendancies* dont parlent tous les livres sur le vendanta ou le yoga) se manifeste sans qu'aucune cause excitante extérieure puisse être trouvée. L'humeur gaie ou triste, tonique ou déprimée, s'impose à nous spontanément. Si le « moi » est l'esclave des événements extérieurs, il l'est aussi du monde intérieur, de l'inconscient, lequel se révèle fort actif et dynamique. Ce « moi » a une certaine vision des choses, certains intérêts, certains désirs et la profondeur en nous des certitudes tout à fait différentes ou même franchement contradictoires. Ce « moi » n'est pas « je » mais seulement le porte-parole du mental. Le vrai « je » est toujours neutre, jamais perturbé, sans émotions. Seul le vrai « je » peut voir, sentir *(to feel)* et surtout être un avec les êtres et les objets. La Voie me demande d'essayer de voir, dès qu'il y a émotion ou perte de l'équilibre intérieur. Voir sans qualification, sans comparaison, sans référence, ici et maintenant.

⁂

Nous sommes prisonniers du passé parce qu'existe en nous ce non-manifesté *(vasanas* et *samskaras)* sur lequel les Orientaux insistent tant. Il est constitué non seulement par les événements et les souvenirs de la petite enfance mais par ceux des vies antérieures. Je sais que cette notion, qui va de soi pour les Hindous et Bouddhistes, est inacceptable pour la plupart des Occidentaux et je n'insisterai pas. Le grand argument contre la réincarnation est « qu'on n'en garde aucun souvenir ». On ne garde non plus aucun souvenir *conscient* de certains incidents de cette existence-ci. Pourtant des hommes et des femmes ont pu retrouver et revivre des événements de leurs premiers jours ou même de la période fœtale. Pourquoi certains ne revivraient-ils pas des expériences encore plus anciennes et encore plus profondément enfouies en eux ?

Toujours est-il qu'il existe en chacun un non-manifesté et que ce non-manifesté a comme caractéristique de chercher à se manifester. Si ce non-manifesté pouvais se manifester entièrement, il disparaîtrait car rien n'est éternel, sauf l'Absolu. Ce qui est éternel, qui n'a ni commencement ni fin, est encore au-delà de manifesté et non-manifesté, avec forme et sans forme, être et non-être. Le non-manifesté n'est ni éternel, ni infini. Il fait partie « du né, du fait, du composé, du devenu » dont parlait le Bouddha. Si le non-manifesté pouvait s'exprimer, il s'épuiserait. Les chocs extérieurs ne rencontreraient plus rien en nous qui y réagisse et nous n'aurions plus d'émotions. Nous avons donc intérêt à ce que ce non-manifesté se manifeste. Mais tout le lui rend impossible. Nous ne pouvons pas pleurer devant nos collègues, frapper nos ennemis, violer toutes les convenances et l'ordre social. En refusant nos émotions, et surtout nos souffrances, nous refusons d'être ce que nous sommes et nous créons en nous une dualité — une fois encore — qui aggrave la situation. S'il est vrai que nous sommes l'*atma*, le Soi impersonnel, il est vrai aussi qu'aujourd'hui nous sommes l'émotion. Une chose que nous avons, nous pouvons la déposer, nous en débarrasser. Si nous ne pouvons pas nous débarrasser d'une souffrance ou d'un énervement ou d'une colère comme nous voulons, c'est parce que cette émotion négative n'est pas quelque chose que nous avons mais quelque chose que nous sommes. Je suis l'émotion pénible mais tout en moi la refuse parce qu'elle est pénible : je refuse d'être ce que je suis.

Puisque je suis la souffrance, eh bien ! que je sois ce que je suis aussi parfaitement et aussi complètement que possible. Voilà la vérité. Il y a l'émotion douloureuse. Il y a la voix en moi qui dit non, qui refuse, qui crée la division. Et il y a un troisième élément : la conscience, la vigilance, le vrai « je », qui peut opter pour la vérité. Si je suis la souffrance d'une façon parfaite, je ne souffre plus. C'est une expérience que tout le monde peut faire à condition d'avoir le courage d'aller jusqu'au bout sans arrière-pensée. Peu à peu, le non-manifesté, qui ne s'était jamais vraiment manifesté parce qu'il y avait toujours eu refus et dualité, va s'épuiser. Notre potentiel de souffrance va s'épuiser. Seulement il ne faut pas souffrir mécaniquement, il faut souffrir consciemment. La fausse souffrance fondée sur la peur, le refus, la division doit faire place à la vraie souffrance. Non seulement il faut vivre ce potentiel de souffrance quand l'existence nous le propose mais le rôle de l'ascèse, dans certains cas, est aussi de favoriser au maximum cette manifestation.

Quand on a une fois, deux fois, eu le courage

d'aller jusqu'au bout de l'acceptation d'une tension ou d'une angoisse et découvert qu'au moment où l'acquiescement est devenu parfait, où la dualité a disparu, l'émotion si pénible a elle aussi disparu, disparu d'un seul coup, la Voie change d'aspect.

Le mouvement d'acceptation devient permanent : à l'instant même où l'émotion se présente, l'adhésion totale — qui nous avait d'abord demandé tant d'effort — est immédiate. Par l'acceptation sans réserve, les émotions sont dissipées au moment même où elles apparaissent.

Si nous pensons être libérés d'une émotion particulière, soyons vrais : est-ce que nous sommes réellement délivrés de cette possibilité de souffrance parce que le non-manifesté a disparu ? Ou est-ce que nos mécanismes de répression sont devenus plus forts, plus efficaces et plus au point ? Le barrage permet apparemment de souffrir moins. C'est le fruit de la peur et l'impossibilité d'arriver à la vraie liberté. Si ce barrage a été construit, il faut avoir le courage de le démolir soi-même pour retourner à la source, à la racine de notre misère. Voici la Voie.

Alors la surface et la profondeur se réunissent.

Alors le vrai « je » apparaît et devient actif tandis que le mental perd son pouvoir, son pouvoir de mensonge et de souffrance.

⁂

« Je » peut voir, calculer, délibérer, utiliser la fonction intellectuelle ou l'intelligence. « Je » est paix, calme, stabilité, harmonie. Il paraît recouvert par le mental lequel « pense » pour nous, à notre place, à longueur de journée. Mais quand le soleil est couvert par les nuages et que je ne le vois plus, n'est-ce pas plutôt que mes yeux sont couverts par ces nuages ? « Je » est là, à ma disposition, mais c'est moi qui en suis coupé, exilé, par mes émotions et mes pensées.

Ce moi, porte-parole du mental, ne peut jamais être un avec qui que ce soit ou quoi que ce soit, pas même avec le gourou, le maître. Par contre il peut, et il ne s'en prive pas, s'identifier avec les uns et les autres.

S'identifier signifie que le « je » a disparu. *You are nowhere.* Vous n'êtes nulle part. *There is no doer.* Il n'y a personne pour faire.

Faire [1] est peut-être le mot le plus important de tous. Qu'est-ce que votre maître vous enseigne ? Mon maître m'enseigne à « faire ». A ce sujet, l'anglais, qui est la langue à travers laquelle j'ai acquis toutes mes connaissances, est favorisé par rapport au français. Là où nous n'avons que le seul mot faire, l'anglais dispose de *to make* et de *to do. To make* signifie à peu près fabriquer, *to do* a un sens métaphysique. Je citerai donc en anglais les paroles mêmes de mon

1. Dans l'enseignement de G. Gurdjieff, « faire » est aussi la donnée fondamentale (cf. Ouspensky, « Fragments d'un enseignement inconnu »).

gourou : « *To do, there must be a doer* ». « Pour faire, il faut quelqu'un-qui-fasse ». Peut-être pourrait-on traduire aussi par : pour agir, il faut un agent (ou un acteur).

Le *doer* est une question de niveau d'être. Chez l'homme contemporain ordinaire, produit de l'éducation actuelle, le *doer* est presque toujours et presque tout le temps inexistant. *Doer* implique la vigilance, la connaissance de soi, et surtout l'unification intérieure et la libération vis-à-vis de la toute-puissance de l'inconscient. *Doer* suppose aussi la participation des plans supérieurs de l'être, des corps *(sharir)* subtils. Mais ce n'est là qu'une étape sur la Voie, un passage de l'identification à la Liberté et l'Unité.

Le *doer* absolu, c'est le sage. Il n'y a plus de *doer*, il n'y a que l'acte, il n'y a que « faire ». C'est exactement l'inverse de la situation ordinaire, c'est la pure Conscience. Dans le véritable faire actif et passif sont unifiés. Faire, c'est activement laisser se faire.

Etre identifié c'est être emporté, entraîné passivement. L'homme doit devenir actif, doit devenir un participant actif à la Manifestation. Plus exactement actif et passif doivent se concilier, se neutraliser, se réunir. Il faut se soumettre, soumettre l'ego séparé et séparant, en acceptant la justice de chaque situation : non pas ce que mon ego aime et veut mais ce qui est *vrai* et *juste*. Cette soumission doit être active et vigilante. L'ego souffre de la séparation mais il veut maintenir ses prérogatives. Il entend combler la séparation en refusant les différences. Il veut créer l'autre à son image. Ayant fait de son monde le monde, l'ego est toujours le centre du monde. Niant la différence, il éprouve à sa façon et inconsciemment : « L'autre, c'est moi ». Ce sont les paroles mêmes du *jivan mukta*, du Sage. Mais l'ego ajoute : « L'autre va aimer ce que j'aime, vouloir ce que je veux, agir comme je l'entends ». Ce faisant, il se soumet passivement au pouvoir de l'autre. Dès que le comportement de l'autre ne correspond plus à l'attente de l'ego, l'émotion naît et, avec elle, voici le mental au lieu de la vision, la réaction au lieu de l'action. C'est un statut d'esclave.

Si le « je » actif apparaît, il peut voir et sentir les différences. La différence n'est pas la séparation. S'il y a deux, deux sont différents, toujours. Mais ils sont les manifestations de la même Unique Réalité. L'acceptation de la différence est la voie vers l'unité. En donnant à mon prochain le droit d'être lui-même, je me libère de mon esclavage à son égard, je me donne à moi aussi le droit d'être moi-même, en anglais : *myself*, mon moi. Mon soi est le chemin du Soi *(the Self)*.

Etre emporté, c'est être un autre. Encore la dualité, alors que le but de la vie est d'être un sans idée d'un second. Quand je suis emporté, ce n'est pas « je » qui « fait », qui « agit ». Or il y a bien quelqu'un qui parle, qui intervient, qui « réagit ». Ce quelqu'un est un autre que moi, que « mon soi ». « Je » est réduit au silence. Il y a deux. C'est tout le temps ainsi. L'adhyatma yoga, ou « chemin vers le Soi », est la démarche inverse. Si « je » maintiens l'autre, être ou objet, à sa propre place et en son propre droit, je deviens librement lui et il devient moi. L'unité est exactement le contraire de l'identification.

C'est la voie qui va du relatif à l'Absolu. L'ego a sa propre exigence d'absolu : il veut que tout soit parfait... tel qu'il l'entend. Sa perfection à lui, il veut la trouver dans l'amour et il est toujours déçu, dans le métier et il est toujours déçu, chez lui, au parti ou au club et il est toujours déçu. Il veut faire du relatif l'Absolu parce que le petit enfant croyait et voulait que l'amour et la puissance de son père et de sa mère soient absolus. L'ego n'accepte ni les différences ni les changements qui le mettent en question. Il n'accepte pas la mort.

L'ego a raison de vouloir l'Absolu. L'homme ne peut se satisfaire que de l'Absolu. Mais l'ego le cherche là où il n'est pas.

L'ego ne sait pas que la mort et la naissance sont une seule et même chose, qu'il n'y a pas de mort sans naissance et de naissance sans mort, qu'un même unique terme désigne cette double réalité et que ce terme c'est « flux ».

L'ego ne sait pas que l'Absolu est là, dans le relatif. L'Absolu est l'Absolu s'il n'y a pas un autre que Lui. S'il y a un autre en face de lui, l'Absolu n'est plus l'Absolu. Dire, comme on le fait souvent, que l'Absolu est « au-delà » du relatif, c'est poser le relatif « en deçà » de l'Absolu. En termes d'*advaïta,* non-dualisme, Dieu n'est Dieu que si l'homme est Dieu. L'Absolu n'est l'Absolu que si le relatif est l'Absolu. *Le relatif est l'Absolu s'il est totalement accepté en tant que relatif,* si on lui retire toute fausse valeur d'absolu.

Si, relativement, je suis moi-même et non pas « un autre », si, relativement, je vois et sens l'objet en face de moi et non pas « un autre », le relatif peut être l'Absolu, ici et maintenant.

A cet instant, je m'éveille et je suis dans la vérité. Qu'est-ce qui m'empêche de demeurer dans la vérité ? Je dois écarter, supprimer ce qui me condamne à quitter le monde pour retourner dans mon monde, ce qui me condamne à ne plus être moi-même mais un autre, ce qui me condamne à la dualité au-dedans et avec l'extérieur, ce qui me condamne à être emporté et identifié.

Pour en être délivré, je dois d'abord le découvrir. Je dois devenir plus fort que la force de l'habitude et la force des réactions.

La réaction est de deux sortes : soit la réaction de compensation, soit la réaction d'inertie. Par exemple, je n'ai pas d'argent. Je peux réagir sous les deux formes : « j'aurai de l'argent », et : « je n'en aurai jamais ». Toute action ou toute situation peut faire naître en moi soit le dynamisme contraire, compensateur, soit le dynamisme de continuation (force d'inertie), sous forme d'émotion, de pensée ou de comportement. Dans la réaction je ne suis jamais moi-même, c'est-à-dire un, mais toujours un autre, c'est-à-dire deux. Intérieurement et extérieurement mon monde subjectif et le monde réel objectif se superposent. Ma vie se déroule comme un film exposé deux fois et qui donne sur l'écran deux images en même temps.

Je vais prendre un exemple aussi simple que possible. Quelques amis et amies sont réunis dans la même maison quand, tard le soir, la sonnerie du téléphone retentit. Le fait objectif certain est : « Le téléphone sonne ». A cette réalité chacun surimpose son monde individuel. Une mère sent : « Mon fils a eu un accident d'auto »; un médecin : « J'ai donné ce numéro à la clinique, c'est la sage-femme qui m'appelle »; un amant : « Ça y est, c'est elle, je lui avais dit de ne pas m'appeler ici »; etc. En fait, aucun des pressentiments n'est juste.

Cet incident banal est lourd de signification et d'enseignement en ce qui concerne la tragique dualité du monde et de notre monde car il illustre de façon évidente ce qui ne cesse de se passer. Personne n'a entendu *la* sonnerie, puisque cette sonnerie n'était rien de ce que chacun a cru. Individuellement, tous les participants à la soirée ont entendu *leur* sonnerie, une sonnerie mensongère, illusoire. Y a-t-il la moindre possibilité d'unité et de compréhension lorsque jouent de tels mécanismes ?

Que pouvons-nous espérer, tant que notre mental fonctionnera impunément, si ce n'est la mésentente, la déception, la frustration ? Le mental est l'ennemi de l'amour et l'ennemi du bonheur.

⁂

Avoir ou être ? La civilisation de consommation, inhumaine et aberrante, nous impose dès l'enfance la loi de l'avoir donc de la souffrance. Une civilisation juste, dès notre enfance, nous aide à être et à croître.

Etre, c'est simplement être indépendant et, pour commencer, avoir sa dépendance en soi-même. Ce que nous avons si longtemps cherché à avoir nous le sommes. Alors, commence la possibilité du véritable non-égoïsme, du véritable amour. Je ne crains plus rien parce que je n'ai plus rien à perdre, je ne demande plus rien parce que je n'ai plus rien à gagner. Si je suis la paix, la joie, la certitude, cette paix, cette joie, cette certitude sont inépuisables. Je peux donner, donner, donner. Ce que nous sommes, nous pouvons le donner aux autres, indéfiniment, nous le sommes toujours. Ce que nous avons, si nous le donnons, nous le perdons. Ce que nous avons a toujours une limite.

Même le compte en banque d'Onassis a une limite. Mais ce que nous sommes peut être illimité.

Si je suis la certitude, je ne cherche plus quelqu'un pour me confirmer dans mes opinions. Si je suis la paix je ne cherche plus à fuir les circonstances défavorables. Si je suis la joie je ne cherche plus des événements qui vont me rendre heureux. A ce moment-là seulement, je peux enfin quelque chose pour les autres, je suis absolument et inépuisablement disponible. Je peux aimer d'un amour qui ne risque rien et qui n'est plus l'expression d'un jeu de réactions. L'amour est la communion, l'union. Je vois l'autre sans aucune référence ou comparaison, d'une façon totale, parfaite. Ordinairement, même quand nous rencontrons quelqu'un pour la première fois, nous le voyons à travers des milliers de souvenirs conscients ou inconscients. S'il y a encore en moi quelque chose *(samskara)* de latent qui peut se manifester à propos d'une parole, d'une intonation de voix, d'un sourire, d'une grimace, d'un geste de l'autre, mon amour demeure impur : nous sommes deux. Dans l'amour vrai, il n'y a qu'un. Je ne peux aimer que si je suis mort à moi-même, mort en tant qu'ego, c'est-à-dire vivant en tant que libéré.

Amour, le mot qu'on n'osera bientôt plus prononcer. Amour, la loi cosmique suprême. Dans une civilisation traditionnelle, il y a deux écoles de l'Amour : le monastère (ou l'ordre religieux) et la relation juste de l'époux et de l'épouse. A la sortie de l'adolescence certains êtres exceptionnels sont mûrs immédiatement pour le renoncement total et l'amour universel. D'autres, les plus nombreux, choisissent la voie de l'amour dans le couple.

Puisque la « vie spirituelle » consiste avant tout à percevoir l'unité derrière la multiplicité et l'identité du sujet et de l'objet, la relation de l'homme et de la femme, la plus intime et la plus complète qui soit, peut être une voie vers la Connaissance. Elle est par excellence la relation privilégiée, significative, avec une créature donc avec la Création. Elle permet, mieux que toute autre expérience de vie, d'appréhender que « samsara est nirvana et nirvana est samsara », qu'esprit et nature sont une seule et même Réalité.

Mais c'est aussi le domaine où, plus que tout autre, nous sommes prisonniers du passé. Nous le sommes affectivement, ne rencontrant notre partenaire qu'à travers l'écran de nos premières impressions de séparation et d'union. Nous le sommes sur le plan de l'acte sexuel proprement dit, cherchant à répéter des sensations déjà connues. La sexualité aussi devrait être une fête éternelle de nouveauté, unissant un homme toujours nouveau à une femme toujours nouvelle.

4

FAIRE L'AMOUR

Sur le plan des valeurs spirituelles ou, tout simplement, humaines, notre prétendue civilisation représente une dégénérescence dont on ne peut se faire une idée qu'en prenant un peu de recul par rapport à elle. C'est ce qui m'a été rendu possible par les longs séjours que j'ai effectués en Afghanistan, en Inde, au Bhoutan et parmi les réfugiés tibétains de l'Himalaya.

La superficialité de l'existence au sein du monde contemporain se manifeste dans la vie professionnelle avec la disparition progressive de l'artisanat, qui était à la fois un mode d'expression personnelle et une voie de croissance intérieure. Elle est évidente dans les loisirs, où des distractions touchant les émotions passagères ont remplacé les fêtes traditionnelles qui nourrissaient les sentiments les plus profonds et constituaient une véritable récréation, re-création au sens actif et vivant du terme. Mais c'est surtout dans le domaine du sexe et de l' « amour » que la médiocrité moderne, vainement dissimulée derrière le prestige des victoires techniques ou scientifiques, apparaît la plus pitoyable et même la plus honteuse. Une activité sacrée, symbole sensible des principes métaphysiques, concernant et unissant tous les niveaux de la réalité et tous les états de l'être, est devenue la manifestation désordonnée de réactions aveugles contre les conventions et du conflit des égoïsmes ou des névroses. L'amour entre l'homme et la femme et la sexualité ont pourtant une importance fondamentale dans la Voie.

A vrai dire, tout se tient. Le couple est un aspect de l'ensemble de l'existence humaine et il s'insère dans une conception d'ensemble. Les Occidentaux modernes prennent pour l'évidence la seule conception qu'ils connaissent, celle de la société de consommation, fondée sur la suggestion et l'hypertrophie des besoins égoïstes. D'un bout à l'autre de ce livre, je parle d'un monde et d'une culture complètement autres et que nous ne pouvons pas ramener à nos modes de pensée habituels. Si nous voulons une autre existence, des joies nouvelles, des sentiments supérieurs, une vie infiniment plus belle et plus riche que tout ce que nous avons connu, nous devons accepter que toutes nos habitudes, tous nos préjugés, toutes nos certitudes soient remis en question.

Pour beaucoup d'Occidentaux, même aujourd'hui où la « libération sexuelle » est devenue si à la mode, l'idée de la Voie ou de la perfection est associée à celle de la chasteté. Avec des motifs différents mais concordants, les moines, les nonnes, les ascètes, les yogis abandonnent toute vie sexuelle normale. Je dis « normale » car l'énergie sexuelle n'en a pas disparu pour autant et, d'une façon ou d'une autre, elle doit être transformée et utilisée à d'autres fins.

Pourtant il existe au moins deux catégories de mystiques qui ont une vie conjugale : les soufis musulmans et les religieux tibétains « bonnets rouges » *(nyingma-pa)*. J'ai connu des soufis et j'ai même très exceptionnellement rencontré la femme de certains (bien que musulmans ils n'en avaient qu'une). J'ai connu des gourous nyingma-pa mariés. Ils n'avaient rien à envier aux religieux célibataires et ils formaient avec leur épouse des couples qui donneraient le désir de se marier aux célibataires les plus endurcis. Néanmoins la conception et même, chez certains et certaines, la nostalgie d'un dépassement du sexe est juste et la Voie, si elle est vraie, mène toujours à la liberté vis-à-vis de la sexualité physique. Celle-ci apparaissant à la puberté, c'est-à-dire après les autres fonctions, disparaîtra avant. C'est un processus naturel. Je parle du moins de la vie sexuelle d'accouplement entre des corps adultes. Au sens large, l'instinct sexuel est l'instinct d'union ou de réunion. Cet instinct se manifeste, ainsi que le besoin de contact physique et les sensations génitales, dès la petite enfance. Mais le désir conscient d'union sexuelle, de coït, apparaît à la puberté. L'enfant et l'adolescent vivent, sentent, s'expriment sans avoir de relations sexuelles. L'être humain ne peut pas vivre sans respirer mais il peut vivre sans s'aceoupler. (Le terme généralement employé est celui d'union sexuelle. Mais il peut y avoir accouplement sans qu'il y ait union. C'est même presque toujours le cas.)

L'opposition plus ou moins inconsciente de la sexualité et de la spiritualité demeure très répandue et très puissante. C'est un problème, vainement nié et refoulé, pour de nombreux hommes et nombreuses femmes qui s'engagent sur la Voie et qui n'acceptent pas complètement leur vie sexuelle. Ce malaise s'enracine soit dans l'éducation (notamment catholique ou protestante) soit dans des traumatismes individuels. Et, comme il est effectivement vrai que les niveaux les plus évolués de l'être s'accompagnent d'un dépassement du sexe, cette vérité supérieure vient se mêler indûment aux répressions, aux inhibitions, aux peurs et — une fois encore — aux mensonges. La suppression de la fonction sexuelle normale peut se faire par le haut ou par le bas. Par le haut, c'est-à-dire par l'épanouissement, la transformation, la transcendance. Par le bas, c'est-à-dire par l'inhibition, la déviation et la névrose. Le critère de distinction est immédiat : ceux et celles dont la continence n'est pas normale ne peuvent pas librement regarder en face le problème et sont toujours gênés pour en parler ou, au contraire, en parlent trop et d'une façon qui n'est jamais naturelle. En outre, ils manifestent toujours, au moins dans un champ d'activité, quelque chose d'excessif, exagéré, trop passionné. Cette intensité inutile peut se retrouver partout, en politique, en art, en religion, dans le travail et même en amour.

J'ai écrit dans le premier tome de cet ouvrage qu'on ne pouvait passer directement de l'anormal au supranormal et qu'il fallait aller de l'anormal au normal et du normal au supranormal. La définition la plus simple du supranormal est : le supraphysique (les états de l'être indépendants du corps mortel). La véritable sexualité et la perfection de l'union physique conduisent à des niveaux de conscience qui dépassent le corps. Puisque ces états supérieurs sont le but véritable de la sexualité, celle-ci perd son sens lorsque ces plans sont atteints sans son support. Mais on ne peut passer d'une sexualité anormale (inhibition, frigidité, névrose sexuelle) à la sexualité supranormale. D'autre part, on ne devrait jamais dire anormal sexuellement mais anormal tout court. Un être unifié et harmonieux n'a pas de problème sexuel, un être capable d'aimer vraiment et librement non plus. Les troubles de la sexualité sont l'expression d'un trouble profond qui se manifeste, entre autres, dans la vie sexuelle mais qui est intimement lié au reste de la personne et au reste de l'existence. La sexualité est le signe extérieur de la condition intérieure.

Quant à la prétendue libération sexuelle de notre époque, c'est une pure réaction aveugle et inconsciente. Il n'y a pas le moindre élément de liberté. On comprendra pourquoi en lisant la suite de ce chapitre.

⁂

La sexualité est non seulement un aspect essentiel de toute existence humaine mais — sous une forme ou sous une autre — une part importante de la Voie. C'est une activité sacrée, qui a une dimension métaphysique et qui ne se pratique pas n'importe comment. Réussir sa vie sexuelle est rare, très rare. Cela se gagne. En ce domaine aussi il y a beaucoup d'appelés et peu d'élus.

Qu'on le veuille ou non, le « sexe » est partout. Encore faut-il s'entendre sur le sens des mots et ce qu'ils recouvrent. Le génie de la psychologie moderne, Sigmund Freud, a pu « tout expliquer » par le sexe et ses théories résistent toujours à des assauts farouches. A l'autre extrémité géographique et historique, l'iconographie du tantrisme tibétain regorge de divinités en position d'union sexuelle *(yab-youm)* et ce symbolisme est essentiel [1]. Le sexe est l'énergie mani-

1. Cf. Arnaud Desjardins, « Le message des Tibétains » (La Palatine).

festée fondamentale. Toute la Manifestation (ce que les Chrétiens appellent la Création et les athées l'Univers) est fondée sur le dualisme et la bipolarité, sur les *dvandwas*, les « paires d'opposés ». Depuis des millénaires la Voie a été désignée comme « l'union des contraires » (c'est le sens étymologique du mot *yoga*) ou « la réconciliation des opposés ». Dualisme et non-dualisme, toute la métaphysique tient en ces deux termes. Ou encore : de l'Un au multiple et du multiple à l'Un, la dualité étant la première forme du multiple. Il n'y a pas de manifestation sans les pôles dynamique et statique, positif et négatif, mâle et femelle. La prison dont l'homme peut se libérer, c'est la distinction moi et non-moi. Je le redis : s'il y a deux, deux ne peuvent pas ne pas être séparés et, s'il y a deux, il ne peut pas ne pas y avoir crainte.

Par conséquent il y a sexualité au sens large chaque fois que deux éléments qui s'éprouvent comme complémentaires cherchent à s'unir. « S'unir », « union », c'est-à-dire devenir un et non plus deux. S'accoupler c'est s'associer mais demeurer deux, s'unir c'est n'être plus qu'un.

Toute la Manifestation est une tentative aveugle ou consciente, maladroite ou habile, de retour à l'Unité. De façon parfois folle ou criminelle, l'être humain cherche sans cesse à dépasser l'étouffante limitation de son individualité. Le solitaire se sent un avec la nature, l'artiste un avec son public, la mère un avec son bébé, l'amant un avec sa maîtresse. Malheureusement cette unité est presque toujours un leurre. Elle est un leurre parce que l'homme n'étant pas un avec lui-même mais divisé et contradictoire ne peut être un avec personne et avec rien.

La première union naturelle — car la véritable unité est « surnaturelle », supraphysique, consciente — est celle du fœtus avec la mère qui le forme. Encore faut-il que le bébé soit voulu, accepté, porté avec joie. Les émotions négatives d'une mère qui refuse sa grossesse sont ressenties par l'enfant qui en sera marqué pour toujours. Mais la séparation est inéluctable. Si la mère aime son nouveau-né et s'en occupe et surtout si elle l'allaite, il existe entre elle et lui une nouvelle union qui est presque parfaite. L'homme en conservera toute sa vie la nostalgie inconsciente à moins qu'une véritable éducation (aujourd'hui rarissime), ne l'aide à devenir peu à peu véritablement adulte, c'est-à-dire indépendant.

La mère et l'enfant est un symbole d'union aussi intense et puissant que l'accouplement sexuel. Si les *gompas* tibétaines sont riches en peintures murales, sculptures et *thankas* figurant des divinités tantriques enlacées, les églises catholiques nous offrent leurs Madones à l'Enfant. Simplement, l'acte sexuel étant une expérience d'adulte, son souvenir est moins oublié et enfoui dans l'inconscient que l'amour et le contact physique qui unit le bébé à la mère et son symbolisme est donc plus éloquent.

Je dis contact physique car il y a là quelque chose de très important. L'accouchement est pour le bébé, bien plus que pour la mère, un choc physique terrible. Son épiderme ultrasensible éprouve la séparation et le contact de l'air comme la première épreuve intolérable. Si cette épreuve ne lui est pas ensuite rendue acceptable par l'amour intelligent de sa maman, son corps conservera toujours une sensation de manque et de frustration jamais comblée, dont l'origine est naturellement inconsciente. Il en est de même si l'union physique avec la mère (contact, caresses, allaitement) a été trop brutalement interrompue. Une certaine évolution sensuelle est arrêtée et se fixe à cet âge de quelques mois. Sensoriellement, comme émotionnellement, un adulte peut conserver jusqu'à sa mort l'âge de deux ans. Son corps, trente ou cinquante ans plus tard, réclame toujours les sensations qui lui ont été autrefois refusées.

On conçoit d'une part que sa vie sexuelle en soit profondément marquée et d'autre part que toute possibilité de dépasser la conscience limitée par le corps, par la forme physique, lui soit interdite, si ce n'est par réaction, donc d'une façon qui ne peut jamais être durable. Or ce dépassement du « corps mortel » est le but de la Voie. L'humanité occidentale est aujourd'hui limitée au plan matériel ou physique d'une façon tout à fait anormale.

⁂

Je vais maintenant énoncer solennellement la vérité la plus importante pour l'être humain, vérité qui pour être évidente n'en est pas moins de plus en plus méconnue et bafouée : l'humanité se divise en deux sexes, les hommes et les femmes. Les hommes sont des hommes, les femmes sont des femmes, les hommes ne sont pas des femmes et les femmes ne sont pas des hommes. Les revendications des féministes consistent d'ailleurs à demander pour les femmes le droit d'être des caricatures d'hommes et non le droit d'être des femmes évoluées. Symboliquement la femme a été associée à l'eau et l'homme au feu : peut-on parler de droits de l'eau à l'égalité avec le feu ? Ou de la supériorité du feu sur l'eau ? Une femme qui est vraiment une femme sera toujours supérieure à un homme qui n'est pas vraiment un homme.

L'émancipation de la femme, pour employer une expression à la mode, s'inscrit le plus souvent en violation des lois universelles. La femme conserve sa nature qu'elle ne saurait changer et lui surimpose un ensemble de conditionnements parés du nom de liberté. Elle est elle-même et une autre en même temps, condamnée au conflit et donc à une souffrance qui ne pourra que revenir encore et encore. Mais ce qu'on ne voit pas c'est que ce sont d'abord les hommes qui ont cessé d'être des hommes. La société moderne, dite de consommation, a fait perdre aux hommes leur virilité. Aucun homme, aujourd'hui, ne doit être étonné si les femmes n'acceptent plus leur place de femme. Tout homme devrait être un guerrier réellement engagé dans un combat. Je ne parle pas de la boucherie des tranchées ou du bombardement des populations civiles. Je pense à un texte bouddhique que je cite de mémoire : « Nous combattons pour la haute sagesse et pour la vertu parfaite. Aussi nous appelons-nous guerriers ». Que les hommes soient des hommes, les femmes seront des femmes. Mais ce déterminisme et cette polarisation fondamentale peuvent, eux aussi, être transcendés. Tous les enseignements traditionnels affirment que le Sage (homme ou femme) unit en lui les deux natures masculine et féminine.

Qu'on le veuille ou non, l'homme et la femme sont différents et complémentaires et aucune revendication féminine à l'égalité ou à l'émancipation n'effacera le fait que le mâle est pourvu d'un pénis et la femelle d'un vagin. Bien avant la psychanalyse les enseignements hindous ont reconnu que la fillette éprouvait l'absence de pénis comme une infériorité. A des intensités différentes, toutes les petites filles ont ressenti un choc et un désespoir en constatant qu'il leur manquait quelque chose d'apparent, qu'elles n'avaient rien à montrer. (Les seins, que les hommes ne possèdent pas, apparaissent seulement plus tard.) Cette frustration se traduit d'une façon générale, chez les femmes, par un désir de posséder, c'est-à-dire une jalousie naturelle, et de faire voir qu'elles possèdent — soit des attributs physiques, soit des biens matériels qui en tiennent lieu. Chaque cas particulier est une question de degré. Cependant la femme possède à l'état latent (ovaires) les organes que l'homme présente à l'état patent (testicules). L'homme et la femme sont l'un et l'autre l'être humain, promis à l'accomplissement de la totalité.

Physiquement le mâle donne et la femelle reçoit. Si la femme veut posséder un pénis elle ne peut l'avoir que par identification avec son homme. En ce sens elle est dépendante de lui. Mentalement, donner c'est être mâle, désirer recevoir c'est être femelle. Cet état de fait naturel a conduit la femme à l'obéissance et la soumission, l'homme à l'agressivité. Dans la mesure où l'homme demande, il se conduit en femme. Dans la mesure où la femme donne, elle se comporte en homme. Mais si la femme veut donner, a besoin de donner, son comportement est de nouveau féminin : elle demande, elle demande qu'on prenne. De même l'homme qui supplie une femme ou qui la poursuit des manifestations de sa virilité se conduit non en mâle mais en femelle.

Chacun se sent incomplet. La nature ne produit

deux que pour redevenir ou être un : la plénitude à laquelle rien ne manque. Quand deux s'unissent ils peuvent créer. Ce qui est partiel ne peut pas créer. Physiquement, l'homme et la femme peuvent créer l'enfant.

Mais l'homme est aussi la femme, la femme est aussi l'homme. Virtuellement, tout l'Univers se trouve dans l'homme, tout l'Univers se trouve dans la femme. D'une façon générale l'être humain ne peut être attiré vers un autre « objet » que s'il est déjà et s'il est encore cela potentiellement mais que, d'une façon ou d'une autre, il refuse de l'accepter. Ce que nous cherchons au dehors est en nous mais nous croyons que cela nous manque. Le mâle cherche la femelle extérieure parce qu'il ne la trouve pas en lui. Mais la potentialité de la femelle est en chaque homme, la potentialité du mâle en chaque femme.

La tradition hindoue appelle *ardhanareshwara* l'être accompli qui a uni en lui les deux natures. Elle considère que la moitié droite de l'organisme est masculine et la moitié gauche est féminine. Cela correspond aux deux *nadis*, lignes de circulation de l'énergie, *ida* et *pingala* dans le yoga. C'est au dedans de lui que le yogi « unit l'homme et la femme ». J'ai approché beaucoup de ces êtres complets et j'ai eu souvent l'occasion d'observer leur plénitude. Une sainte aura toute la douceur, la sensibilité, l'intuition, l'ouverture aux valeurs primordiales que l'on s'accorde pour attribuer à la femme et aussi la force, la rigueur intellectuelle, la prise sur le monde extérieur que l'on concède aux hommes. Un sage est une mère autant qu'un père. Le sage n'éprouve plus ni le besoin de donner, ni celui de recevoir. Il a atteint l'unité en lui-même et avec l'extérieur. C'est l'union de la nature masculine et de la nature féminine au-dedans de lui qui a créé le sage au lieu de créer l'enfant.

L'homme ou la femme ordinaire — et celui ou celle qui avance encore sur la Voie — se ressent comme partiel, et, à cause de cela, faible. Quelque chose lui manque dont il éprouve le besoin. Le chemin de la femme en lui passe par la femme hors de lui. Le chemin de l'homme en elle passe par l'homme en face d'elle. Traditionnellement, le principe féminin est la potentialité ou la possibilité et le principe masculin la force activante ou fécondante. La femme a besoin de l'homme non seulement pour procréer physiquement mais pour procréer spirituellement, pour croître intérieurement. Inversement, l'homme a besoin de la femme pour agir, pour passer de la puissance à l'acte. Sa compagne sera alors pour lui soit la Dalila, celle qui le rend stérile et le détruit, soit la Béatrice, l'inspiratrice sans qui il ne pourrait accomplir sa mission. On rencontre autant de destins d'hommes dégradés que de destins magnifiés par une femme et ce thème se retrouve dans d'innombrables mythes de toutes les cultures.

*
**

Une clé simple et efficace pour comprendre notre monde moderne est de le considérer comme le renversement, l'inversion, de l'ordre légitime des choses. « Satan est le singe de Dieu. » Une des perfection de la Voie est que les hommes incarnent en eux la femme et les femmes l'homme. Aujourd'hui les hommes ne sont plus ni hommes ni femmes, les femmes ne sont plus ni femmes ni hommes.

C'est le moment où la sexualité devient une obsession non plus individuelle mais collective. On ne parle, en effet, que de faire la révolution ou de faire l'amour. L'érotisme envahit tout.

Je vais en parler moi aussi mais dans une perspective qui n'a évidemment rien à voir avec celle du monde moderne.

« Faire l'amour ». Que signifie « faire » et que signifie « amour » ? « Faire » *(to do)* implique un degré élevé de connaissance de soi et d'unité intérieure. Rares, très rares sont aujourd'hui les hommes et les femmes qui peuvent « faire ». Faire a sa source dans la profondeur de l'être et son expression embrasse la réalité totale. Seul « je » peut faire, pas « moi » emporté par les désirs, les émotions. Faire donne à chaque acte la valeur d'un rite et l'acte sexuel est un rite dont les répercussions s'étendent au-delà du plan physique ou grossier. Il y a autant de qualités différentes de l'acte sexuel qu'il y a de niveaux d'être.

Faire l' « amour ». « Si je n'ai pas l'amour », disait saint Paul. Ce même mot traduit les termes sanscrits de *moha* (ou même *kama*) et de *prem*, les termes grecs *eros* et *agape*, la possession et la liberté. « Parce qu'il l'aimait trop, il préfère la tuer que de la savoir dans les bras d'un autre... » Oui, sûrement, il lui disait : « Je t'aime ».

L'amour est le renoncement à soi de celui qui sait qu'il ne peut se trouver qu'en se perdant. Se livrer, c'est se délivrer. L'amour brise la limitation de l'individualité ou de l'ego, du nom et de la forme (*nama* et *rupa)* et nous réintègre dans l'Unité. L'union sexuelle est le don total de soi, conscient, inconscient, supraconscient, corps physique, corps subtil, corps spirituel. Si l'amour, l'acte sexuel n'est que l'union des corps physiques, il demeure un acte dérisoire, limité, décevant, un échange médiocre de sensations génitales plus ou moins fortes : se masturber avec le vagin d'une fille ou avec la verge de son mari.

Faire l'amour, c'est se donner. Mais pour pouvoir se donner il faut d'abord s'appartenir, il faut pouvoir faire. « Je t'aime ». Qui aime qui ? Un « je » total, unifié, ou un « je » partiel qui n'engage qu'une petite partie de l'être ?

Un être qui ne peut pas se donner pourra réussir dans de nombreuses entreprises mais l'échec de sa vie sexuelle demeurera le témoin de son échec intérieur, de ses conflits et de ses craintes. La sexualité sera une recherche de jouissance physique ou une compensation, non l'expression de la liberté et de l'amour. Un être peut se donner s'il est sûr de lui, pas si, inconsciemment, il se sent inférieur ou s'il a peur. Cela dit, c'est lorsqu'un des conjoints souffre d'une difficulté d'ordre sexuel que l'amour conscient de son ou sa partenaire peut faire le plus beau miracle : rendre à lui-même un être « aliéné », devenu un autre. Car, à partir de là et à partir de là seulement, commencent la progression spirituelle et la croissance intérieure. Aimer ne signifie pas désirer le corps de l'autre mais comprendre son essence. L'amour demande tout simplement beaucoup d'intelligence et beaucoup de sympathie.

L'acte sexuel véritable, celui qui a sa place sur la Voie, est celui qui unit complètement deux êtres dans une offrande de soi sans réserve et non celui qui accouple deux corps physiques. Ce don de soi, acte libre d'un adulte, est trop souvent confondu avec un désir régressif et infantile de retour à l'indifférenciation de la relation mère-enfant. Dans l'un comme dans l'autre cas, le sens de la séparation et l'emprisonnement dans les limites de l'individualité sont dépassés. Mais la distinction est celle qui existe entre un sage et un petit enfant. L'un est conscient et éveillé, l'autre ne l'est pas. L'amour est un sentiment conscient.

« L'amour sans amour » n'est pas l'amour. On ne

peut pas dissocier la question de l'acte sexuel de celle du couple, de l'Amour avec un A et du mariage.

Avant d'aborder ce domaine si important de la vie je veux cependant faire une remarque. L'amour de l'homme et de la femme est un sujet dont on peut difficilement parler sans malentendu. Il est tellement ressenti à travers les frustrations, les peurs, les refoulements, les préjugés et surtout l'égoïsme de chacun qu'une longue maturation est nécessaire pour l'envisager en adulte véritable. Dans le langage des amants : « Je t'aime » signifie : « Aime-moi ». L'amour, même le « grand amour » est celui de deux egos, limités, définis, individualisés, mais qui veulent dépasser leurs limites.

Il est un acte sexuel hors du couple et du mariage qui a aussi sa valeur transcendante, c'est celui dans lequel ce n'est plus monsieur Un Tel qui s'unit à madame ou mademoiselle Un Tel, mais l'homme qui s'unit à la femme, sans esprit de possession, sans référence à la durée. Le principe masculin s'unit au principe féminin, l'homme voyant la Femme en sa partenaire, la femme voyant l'Homme en son partenaire. Il y a, en de telles unions passagères, une dimension suprapersonnelle qui brise aussi la prison de l'individualisme. C'est le cas des accouplements rituels dans certains enseignements tantriques. Cette désindividualisation se retrouve également dans les unions collectives. Si les « partouses » à plusieurs deviennent ou redeviennent peu à peu à la mode, c'est par le mécanisme inévitable de la compensation ou de la réaction. Chacun, aujourd'hui, étouffe tellement et de plus en plus dans l'étroite prison de son ego, que le besoin s'impose d'un éclatement, d'une impersonnalisation. Dans l'orgie collective il n'y a plus ni toi, ni moi, mais l'énergie vitale spontanée s'exprimant sans contrôle du mental, ni référence individuelle. Il en résulte un sentiment d'élargissement et de dépassement, de grandiose, qui a aussi — je ne cherche pas du tout à choquer — quelque chose de religieux, de « numineux ».

Bien entendu, chaque manifestation de la sexualité doit être appréciée dans son contexte. *Les actes d'un homme mené par ses désirs et ses refus et les actes d'un homme engagé sur la voie de la conscience, selon un enseignement valide et véridique, n'auront jamais le même sens.* Certains êtres ont un But permanent et définitif, l'Eveil, la Réalisation. Les autres sont entraînés par des émotions plus ou moins durables, des instincts et des pulsions.

⁂

L'acte sexuel peut donc être dissocié du mariage sans attirer pour autant la condamnation. Mais la voie normale passe par l'amour durable entre un homme et une femme, l'amour conjugal. L'amour est en lui-même un aspect de la Voie : croître ensemble, progresser l'un par l'autre. Malheureusement un amour conjugal réussi est, aujourd'hui, très rare. Si cet accomplissement est possible, il n'est pas probable. Tous les mariages ne sont pas des échecs mais bien peu ont une valeur supra-humaine et ont apporté tout ce qu'ou fond d'eux-mêmes l'homme et la femme en attendaient.

Il n'y a sexualité parfaite que dans l'amour parfait, celui auquel rien ne manque, celui qui nous engage et nous anime entièrement, sans aucune frustration ou insatisfaction sur quelque plan que ce soit. La relation conjugale, la relation entre l'époux et l'épouse est la plus complète et la plus riche. Une femme devrait être pour son mari tout ce que l'homme attend de la femme. Un époux devrait être pour son épouse tout ce que la femme attend des hommes. L'épouse doit être à la fois une maîtresse, une sœur, une mère, une fille, une amie, une infirmière, une associée et un juge; l'époux, un amant, un frère, un père, un fils, un ami, un infirmier, un associé et un juge. Toutes les relations possibles entre un homme et toutes les femmes, entre une femme et tous les hommes, sont réunies — ou devraient l'être — dans le couple. Le meilleur critère pour savoir si l'on s'aime et si on peut valablement se marier est de se demander honnêtement si toutes ces conditions sont remplies. Sinon l'homme gardera toujours quelque part en lui la nostalgie de la maîtresse passionnée, possédant les attributs érotiques qui l'attirent le plus subjectivement et le plus intimement; la nostalgie de la femme-camarade avec qui on peut être complice, parler, rire, partager; de la femme-mère qui sait servir, réconforter, consoler, rassurer; de la femme-fille qu'il puisse protéger, guider, enseigner, à qui il puisse faire découvrir le monde et ses richesses; de la femme-sœur, qui partage ses rêves, dont il sent qu'elle et lui ont des affinités profondes, font partie de la même famille, qui lui donne la tendresse paisible et l'affection; de la femme-associée, qui comprend ses problèmes professionnels, l'aide et partage ses activités; de la femme qui soigne, qui panse, qui secourt; de la femme en qui il a confiance pour l'aider à progresser, pour l'aider à se voir tel qu'il est, pour lui dire lucidement : « C'est ainsi », ou : « Ce n'est pas ainsi ». Si une de ces femmes manque en la sienne, ou bien il la cherchera consciemment ailleurs, ou bien il niera, refoulera son regret et il la cherchera inconsciemment ailleurs. Il reprochera à son épouse de ne pas être aussi celle-là et son don à elle dans l'union sexuelle ne sera jamais parfait. Inversement, il en est exactement de même en ce que la femme doit trouver chez son mari.

Il semble qu'aucune femme et aucun homme ne soit assez complet pour assumer toutes ces tâches *(dharma)*. En fait, un conjoint les accomplira d'autant mieux qu'il est plus libre intérieurement et son partenaire le ressentira d'autant mieux qu'il est lui-même aussi plus libre de sa subjectivité et de son mental. L'époux et l'épouse doivent remplir l'un pour l'autre ces différentes fonctions. Mais celles-ci devraient être impersonnelles : la mère, la sœur, la fille. Plus le conjoint attend inconsciemment une certaine mère particulière, une certaine sœur, une certaine fille, moins il y a de chance, en effet, que son attente soit satisfaite.

La loi du mariage est la loi générale de l'être et de l'avoir : je *suis* un mari, et non pas : j'*ai* une femme. Ou encore : je suis *son* mari, et non pas : c'est *mon* épouse. Seuls peuvent obéir à cette loi des êtres libres et adultes. Tant que : « je t'aime » signifie « aime-moi », aucun mariage heureux et durable n'est possible. Une exigence infantile est condamnée à être déçue.

L'époux est en droit d'espérer que sa femme soit une épouse, la femme est en droit d'espérer que son mari soit un époux. Ici intervient avec une virulence particulière le fait dramatique que nous ne voyons pas l'autre tel qu'il est, mais à travers nos fixations inconscientes et nos préjugés. Notre conjoint lui-même, qui est-il ? Quelle est la vérité de lui-même ? Où est l'apparence et où est l'essence ? Chacun attend un certain mari ou une certaine femme dont il porte déjà inconsciemment l'image en lui, comme un metteur en scène qui cherche à distribuer un rôle dans une pièce. Le personnage existe, il faut trouver celui ou celle qui le remplira : *un rôle particulier et non plus une fonction.* Le mental, les émotions, les projections de l'inconscient s'en donnent à cœur joie et c'est l'extrême confusion, l'aveuglement, le mensonge et, bien entendu, la souffrance. L'homme va souvent rechercher dans la femme la mère bénie de ses premiers mois dont le souvenir impérissable demeure enfoui dans son cœur. Ou bien il va être attiré par des aspects de l'existence, de la totalité de l'être, qu'il a reniés en lui : un homme austère passera son temps à refouler, accepter, refouler son extrême intérêt pour les femmes sensuelles et lascives. Ou encore, il s'identifie directement à la femme, en ce qu'elle est ou en ce qu'elle a ce qu'il aurait voulu être ou avoir : un homme laid se sentira beau de la beauté qui couche avec lui, un homme qui regrette de ne pas exercer un métier aimera une femme qui a réussi dans cette profession. Or cette identification est exactement le contraire de l'union ou de l'unité *(oneness)* et la rend impossible par le voile ou l'écran qu'elle maintient entre l'amant et celle qu'il aime.

Ce que je viens dire pour l'homme est naturellement vrai aussi pour la femme. En règle générale la relation qu'a eue le fils avec sa mère et la fille avec son père exerce une influence prépondérante. Beaucoup d'hommes cherchent leur mère (et non la mère) chez les femmes, beaucoup de femmes cherchent leur père chez l'homme. Mais le mental est si retors qu'un homme peut trouver en une femme le père qui lui a manqué et qu'attend toujours l'enfant qu'il est toujours au fond de lui-même. Par exemple, un fils, même pourvu d'un père honorable et honoré, peut se sentir parfaitement orphelin et être convaincu qu'il n'a jamais eu de papa pour l'aimer mais seulement un père pour le gronder et le brimer. Probablement il conserve enfouie et censurée en lui, absolument coupée de son mental de surface, l'image d'un vrai papa, un bon papa qui l'a pris une fois dans ses bras ou sur ses épaules quand il était tout petit. La fonction du père est de détacher peu à peu l'enfant des jupes de sa mère et de familiariser progressivement celui-ci avec le monde. Le père est moins là pour dire ce qu'il faut faire que pour montrer comment il faut le faire, pour enseigner son fils ou sa fille et lui donner confiance en lui ou en elle-même. Lorsque ce père a manqué, un homme de trente ou même quarante ans peut — inconsciemment — le trouver dans la femme qu'il aime si celle-ci a réussi dans un métier d'homme (par exemple la médecine), est forte, a de l'expérience, gagne de l'argent, peut l'introduire dans un milieu qu'il ne connaît pas, a tous les attributs du père idéal. Pour peu que cette femme ait aussi une souffrance ou une faiblesse qui la rende vulnérable, cet homme tombera facilement amoureux d'elle. Car plus on se sent soi-même perdu (et comment un fils dont le père a été défaillant ne le serait-il pas ?) plus on éprouve le besoin de protéger les autres.

Ainsi l' « amour », la « passion », est presque toujours un mécanisme aveugle et l'expression « tomber amoureux » juste et adéquate. Il faut bien se garder de confondre l'amour et la fascination. La fascination, d'ailleurs souvent réciproque et partagée, est une attraction qui paraît irrésistible mais qui ne peut pas être durable. Elle est entièrement fondée sur l'ignorance et les mécanismes inconscients et elle sécrète la crainte à longueur de journée. Cette fascination est toujours appelée amour ou grand amour alors qu'elle en est le contraire. On tue et on se tue par fascination, par amour on vit et on aide à vivre. La fascination fait de la séparation une torture, l'amour grandit avec l'éloignement. La fascination a besoin de dire : « Je t'aime », l'amour le montre et le prouve sans le dire. La fascination demande sans cesse : « Tu m'aimes ? ». L'amour a fait un ceux qui étaient deux. La fascination sait que la vie peut séparer les corps, l'amour sait qu'elle ne peut pas séparer les âmes.

Et surtout, la fascination exige de l'autre qu'il corresponde à l'image préfigurée que je lui impose, l'amour voit l'autre et accepte l'autre tel qu'il est. N'importe qui peut être fasciné. Mais pour aimer il faut déjà un niveau d'être élevé, la liberté vis-à-vis de ses fixations inconscientes et de ses projections, la maturité d'un véritable adulte, une connaissance et une maîtrise de soi qui ne viennent pas toutes seules, loin de là.

La fascination ne peut jamais durer. Elle mène à la souffrance puis meurt... jusqu'à la prochaine fois. L'amour grandit et s'enrichit sans cesse. Les époux, dit la Bible, « ne sont plus qu'une seule âme et qu'une seule chair ».

⁂

Comme expression de l'amour véritable, la vie sexuelle acquiert une dimension nouvelle. Elle dépasse le niveau strictement physique en même temps qu'elle associe les corps à une union infiniment plus profonde et subtile et qu'elle en fait un point d'appui pour une unité toujours plus parfaite.

Le grand enseignement de l'acte sexuel est que l'union physique est un leurre. Le plan physique implique des formes séparées et physiquement deux ne peuvent pas être un, quel que soit le besoin de briser cette forme, de la faire disparaître et de fusionner avec l'autre qui anime les amants pendant l'étreinte. Pourtant c'est la loi de la nature de toujours chercher à neutraliser ou effacer les distinctions qu'elle a créées. C'est dans l'acte sexuel que le jeu de prendre et donner est le plus significatif. « Prends-moi ». « Je me donne à toi ». Chacun veut se donner et chacun veut prendre l'autre. L'unité n'existe que là où il n'est plus question de prendre et de donner, ou ce double mouvement a été neutralisé. Même les corps supérieurs sont encore des formes, aussi subtiles soient-elles. « Faire l'amour » est bien plus que cela.

Ce n'est plus seulement l'accouplement des corps physique et l'union des plans subtils de l'être (Encore faut-il admettre l'existence de ceux-ci). Le don de soi réciproque est déjà définitif et parfait et les corps sont conviés à y participer. L'initiative ne vient pas du corps. Le sentiment de n'être qu'un en deux, ou deux en un, est éprouvé dans toute son intensité. Seule la rencontre des regards le matérialise sur le plan physique. Il est d'ailleurs frappant de constater que, dans les accouplements ordinaires où chacun reste prisonnier, il y a peur de se regarder l'un l'autre. Le don mutuel s'exprime d'abord par les yeux. Alors la liberté totale est donnée au corps de manifester spontanément cette communion. Chaque geste s'accomplit de lui-même et il est vécu consciemment. Il n'y a plus ni durée ni séparation. L'amant, l'amante, l'amour qui les réunit sont une trinité parfaite, indissociable et pure comme l'état de grâce qui précède la chute dans la multiplicité. C'est au niveau de la matière le grand sacrement métaphysique de l'advaïta : deux qui ne sont qu'un. Ces corps, *auxquels l'homme moderne donne une importance absolument anormale*, nous savons que la mort les détruira et qu'ils seront réduits en poussière. Nous savons qu'ils ont déjà commencé à vieillir. Mais la véritable union des corps, celle dont parlent toutes les Ecritures sacrées, conduit au dépassement des corps, à l'expansion de la conscience libérée des limites du corps. C'est le paradoxe du yoga : par le corps, au-delà du corps. D'ailleurs beaucoup de rapprochements peuvent être faits entre l'intensification des fonctions organiques dans le hatha-yoga et dans un acte sexuel digne de deux êtres humains.

L'acte sexuel tire une partie de sa valeur et de son importance du fait qu'il est directement lié à la respiration. Dès que quelqu'un est animé sexuellement sa respiration change et devient rythmique. Il y a dans l'union un rythme, ou mieux plusieurs rythmes respiratoires successifs qui correspondent naturellement aux différents exercices respiratoires du yoga, amenant spontanément des modifications du niveau de conscience. Tous deux peuvent conduire à une rupture de niveau, à l'éclatement provisoire des limites de l'égo et à la transcendance, au samadhi.

La concentration des énergies physique, émotionnelle et mentale se fait naturellement. Les fonctions ordinaires, en particulier le personnage de surface auquel nous nous identifions, se trouvent provisoirement suspendues. L'homme et la femme sont animés par l'énergie fondamentale, l'énergie racine, non encore différenciée en énergie physique, émotionnelle et intellectuelle. C'est le retour à la transparence, et la spontanéité, à la vérité d'avant les déformations, les traumatismes et les conditionnements. Les amants sont réintégrés dans la réalité profonde, essentielle, de leur être. En ce sens, l'union sexuelle véritable est une forme de méditation. Elle détermine un changement du niveau de conscience qui va jusqu'à la suppression momentanée du sens de l'ego. (Une Upanishad a pu dire que le Sage vit dans un éternel orgasme.) Alors, et alors seulement, naît le sentiment de perfection et de plénitude. Encore faut-il que ce ne soit pas, justement, l'ego qui « fasse l'amour » pour satisfaire un besoin d'affirmation, de possession, d'asservissement ou même, simplement, un désir de plaisir ou de sensations.

⁂

L'acte sexuel est une circonstance privilégiée pour l'exercice de l'attitude intérieure juste en face de toute situation.

Un être humain est activement dans la Voie lorsqu'il éprouve : « Je suis », lorsqu'il se sent animé par une puissante énergie dont il est le canal. Effectivement, si leurs polarités correspondent, la présence face à face d'un homme et d'une femme éveille en eux un intense sentiment d'être. Il est alors possible de comprendre et de vivre le véritable faire qui est laisser faire. Le sage est le *doer* parfait parce qu'il n'y a plus de *doer* individuel. De même les amants laissent se manifester cette force plus vaste, plus juste, plus pure que leurs egos respectifs.

Au cours de l'existence, l'important est toujours de vivre strictement dans l'instant, dans le présent. C'est très difficile. Ce l'est un peu moins dans l'union physique. Généralement lors d'un accouplement ordinaire, l'attitude des deux partenaires est faussée par le souvenir inconscient d'expériences anciennes et le souvenir conscient d'actes sexuels antérieurs qui viennent prédéterminer l'acte en cours. Cette attitude est viciée aussi, de moment en moment, par l'attente et la représentation des minutes qui vont suivre. Chaque geste, au lieu d'être parfaitement effectué et ressenti pour lui-même et en lui-même, est exécuté comme la promesse et la préparation du geste suivant, un peu plus intime. Il n'est donc pas vécu parfaitement et tout ce qu'il pouvait apporter est perdu. Les deux partenaires essaient improprement de faire, faire ce qui pourra satisfaire l'autre, faire ce qui pourra amener l'autre à le satisfaire. Enfin chacun tente de « perdre la tête », c'est-à-dire être délivré de l'étroitesse du mental, en sombrant dans une infraconscience au lieu de vivre consciemment une merveilleuse révélation de liberté.

Tout ce comportement est faux. La sagesse est toujours l'expérience de la pure instantanéité. Celle-ci est possible dans l'amour en vivant l'acte d'union et ses préliminaires dans la plénitude de chaque instant, sans référence à aucune notion de temps.

L'amant ne pose pas sa main sur la main de l'amante. La main se pose comme une évidence et une certitude. Elle se pose sans être considérée comme le prélude à quoi que ce soit d'autre, sans aucune attente préconçue. Au lieu de rester un acte mécanique et sans signification, chaque geste simple se revêt d'une grandeur et d'une profondeur immenses. L'amour devient réellement une participation et une méditation. Rien n'est cherché. Tout est reçu dans une disponibilité totale à l'inconnu et à la nouveauté. L'orgasme qui est généralement considéré comme une fin, un achèvement, se révèle au contraire un commencement, une ouverture sur un état intérieur de communion et de contemplation, dans lequel la conscience est dégagée du fonctionnement psychomental. Loin d'apporter aucune « tristesse » il libère la paix et la certitude qui sont en nous, que nous sommes.

Dans cette perspective, il n'est plus question de prendre mais d'accueillir. La relaxation et l'acceptation sont totales, sans aucune rigidité, anxiété, sans aucun désir de produire ou d'obtenir un résultat particulier. Le processus sexuel se développe et s'intensifie de lui-même et les amants s'y soumettent librement. Ils ne font pas l'amour. L'amour se fait. Dans cette perspective aussi on comprend comment le désir libidineux et la convoitise sont, en effet, des fautes ou des « péchés », à l'opposé de l'union véritable. L'amour est pour les deux amants ensemble un abandon, une ouverture, un jaillissement *intérieurs* dont l'ouverture de la cavité féminine et le jaillissement de la semence masculine sont les symboles sensibles physiques. Tant qu'on essaie de faire, on ne peut faire que ce qu'on conçoit. Or il s'agit d'une réalité infiniment plus grande que nous et que nous sommes incapables de concevoir. Nous pouvons seulement la recevoir.

L'union sexuelle est un rite au sens technique du terme. Le rite se distingue de la simple cérémonie : un acte accompli consciemment au plan physique (ou « grossier ») produit des effets sur le plan « subtil » ou même transcendant. Cela est complètement perdu de vue par nos contemporains qui semblent prendre pour norme et mesure le règne actuel de la matérialité. Mais, même s'il est de plus en plus oublié, le caractère sacré de l'acte sexuel ne fait pas moins de celui-ci un « mystère » au sens initiatique du terme. Considérer l'amour sexuel comme une impulsion physique est une profanation et on trouve dans plusieurs textes de l'Islam et de l'Inde des indications sur la façon de prier pendant l'union.

On a pu faire beaucoup de rapprochements entre les expériences érotiques et les expériences mystiques. Le mot extase lui-même est parfois employé pour désigner la perfection de l'orgasme. A cet égard il faut être intransigeant pour se garder de toutes les confusions. Si l'union physique peut être le point de départ d'une réalisation spirituelle, il arrive aussi que les transports dits mystiques ne soient que des formes déviées de l'érotisme le plus matériel et sensuel.

⁂

L'union sexuelle sacrée s'enrichit sans cesse par la fidélité. La constatation que telle autre femme ou tel homme est attirant peut venir à l'esprit mais il n'y a aucun propension à lui donner suite. Toute infidélité, même en pensée, est impossible. Pourquoi changer là où il n'y a ni répétition, ni monotonie ? Chaque union est originale, incomparable, unique. Chaque union est la première, manifestation spontanée, hors du temps, expression d'une communion sentimentale, intellectuelle, spirituelle toujours plus riche et plus profonde. L'acte sexuel est une improvisation spontanée à deux, comme celle de certains musiciens que j'ai entendus en Orient. La même inspiration paraît naître en même temps chez l'un et chez l'autre. L'Inde dit que dans l'union l'amant ne sait plus s'il est un homme ou une femme, l'amante si elle est une femme ou un homme : une seule conscience effaçant la différence des deux corps.

En ce qui concerne la sexualité féminine toute la

connaissance traditionnelle ou ésotérique confirme la distinction de la sensibilité clitoridienne superficielle, infantile et de la sensibilité vaginale, profonde, adulte. L'orgasme clitoridien peut même être un obstacle à l'épanouissement total concernant l'être entier de la femme. Sigmund Freud est plus proche de la vérité que les chercheurs américains. Aucune mesure scientifique ne rendra compte du domaine supraphysique qui est pourtant le plus important.

Et voici que, dans la dégénérescence actuelle, le renversement de toutes les vérités est poussé de plus en plus loin. La nullité des amants est devenue telle que l'invention lyrique, l'hymne des corps, a fait place à l'essai laborieux de toutes les positions que nous enseignent les petits livres noirs, rouges ou blancs venus de Suède ou du Danemark. Rien d'étonnant alors que le besoin de changer de partenaire devienne de plus en plus contraignant. Cela s'appelle — une fois de plus la caricature — liberté sexuelle, indépendance des conjoints, émancipation de la femme. Ce n'est que l'oppression du mental, la tyrannie de l'égoïsme, la prison intérieure. Le mental, le fonctionnement le plus faux et le plus artificiel, a contaminé la dernière fonction qui pouvait demeurer naturelle, spontanée, pareille à la joie et au jeu des enfants, chemin de réintégration dans la vraie Liberté primordiale.

Plus un homme ou une femme avance dans

l'échelle des niveaux d'être, plus sa vie sexuelle progresse. La sexualité s'enrichit par les autres aspects de la Voie. Peu à peu, l'acte sexuel devient de plus en plus proche de la perfection. Quand cette perfection a été atteinte l'homme et la femme sont libres de la sexualité et disponibles pour les stades suivants de l'évolution. Ce qui est parfait est achevé. On ne refait pas une multiplication qui a été prouvée exacte. On n'éprouve plus le besoin de répéter ce qui a été accompli mais l'aspiration à découvrir des plans nouveaux, de plus en plus subtils, de la Réalité.

Bien. Maintenant que j'ai rendu justice à l'acte sexuel et qu'on ne peut, je pense, m'accuser de puritanisme ou de haine chrétienne pour la « chair », je voudrais quand même signaler encore un point dans ce domaine où l'Occident aujourd'hui fait complètement fausse route. Comme partout la quantité a remplacé la qualité. Entre la répression et l'anarchie, la « voie du milieu » demande un minimum de discipline et de conscience. En vérité, l'acte sexuel est un acte grave, précieux, qui ne s'accomplit pas n'importe quand et n'importe comment. Tous les ordres traditionnels (Judaïsme, Islam, Hindouisme, etc.) ont érigé, valables pour tous, des règles précises fixant quand et à quelles conditions l'union physique des époux est licite et légitime. C'est, sur le plan exotérique, sur le plan de la loi, l'application de principes qui ne sont pleinement compréhensibles qu'à la lumière de l'ésotérisme. Un contrôle et une discipline de l'énergie sexuelle sont indispensables à qui veut faire croître son amour et faire de son amour une aide pour sa croissance intérieure. Si l'amour a toute latitude de se manifester au niveau physique, un autre domaine lui sera fermé, celui par lequel la conscience de l'unité transcende de plus en plus complètement le corps mortel. Une discipline de tous les contacts physiques (pas seulement l'acte sexuel) est indispensable entre les amants.

⁂

Ce livre n'est pas consacré aux problèmes du couple mais aux chemins de la sagesse et c'est dans la perspective de la Voie que j'envisage la relation de l'époux et de l'épouse. C'est d'ailleurs seulement dans cette perspective que l'union d'un homme et d'une femme peut prendre son véritable sens, chacun aidant l'autre à progresser. C'est une œuvre à deux qui dure toute la vie et peut même se poursuivre à travers les incarnations successives. A part la relation du gourou au chella, du maître au disciple, aucune relation humaine n'est aussi sacrée que celle de l'époux à l'épouse, lorsque celle-ci est considérée comme une voie non-égoïste vers la perfection : ne plus être un homme mais l'homme, une femme mais la femme, puis l'un et l'autre devenir l'Homme : Dieu créa l'Homme à Son image.

La presque totalité des hommes et des femmes qui nous entourent n'ont pas eu l'occasion d'aller jusqu'au fond de leur vérité et ne se connaissent pas eux-mêmes. La plupart aussi masquent par leurs entreprises, leurs activités, leurs succès, une immense détresse enfouie et réprimée. Parfois au tournant de la vie, aux environs de quarante ans, celle-ci éclate dans la névrose. Mais généralement elle se manifeste de façon détournée et insidieuse : l'un boit un peu trop, l'autre fume un peu trop, l'une a un peu trop besoin de se regarder dans la glace, l'autre d'être regardée par les hommes. Le Christ a traité les pharisiens de sépulcres blanchis pleins de pourriture à l'intérieur. Que de conflits, de désarroi, de peurs, de lâchetés, d'appels au secours, d'agressivité, de révolte, d'angoisse ne se cachent-ils pas derrière le personnage que nous jouons à nos propres yeux autant qu'à celui de la société. « Toutes les créatures aspirent au bonheur », a dit le Bouddha, « que ta compassion s'étende sur elles toutes ». Le Bouddha a été appelé le grand médecin. La Voie est un immense hôpital où se retrouvent ceux et celles qui ont reconnu et accepté le fait de leur maladie. Cette maladie est la maladie de l'ego, de l'individualisme, qui nous emprisonne dans la dualité des désirs et des refus. Qui dit malade dit par là-même aussi bien portant. La maladie est un fonctionnement disharmonieux qui se surimpose à la santé. La nature vraie, primordiale, de chacun, c'est la santé spirituelle et le bonheur. Etant si orgueilleux nous devrions nous sentir horriblement vexés de ne pas être parfaitement heureux puisque cela signifie que nous ne sommes pas nous-même mais une caricature.

Celui qui s'est engagé sur la Voie ne veut plus se mentir. Il ne cherche plus à transformer l'autre pour éviter de se transformer lui-même, à faire de l'autre ce qu'il n'est pas arrivé à faire de lui-même. A la fois il reconnaît sa nullité et il est décidé à guérir coûte que coûte. Peu à peu il comprend qu'en lui, très profondément en lui, se trouvent des situations, des relations, des champs de forces, qui ne peuvent s'exprimer directement au grand jour. Ses rêves, ses espérances, ses craintes, ses projets, sont des remplacements ou des compensations. Il ne suffit pas de savoir qu'on ne se connaît pas et de vouloir se connaître pour que cela devienne facile. Les répressions, mensonges, déformations sont devenus une part de nous-même. Ils imprègnent nos cellules. La libération et l'unification sont une longue et douloureuse entreprise, demandant un courage, une honnêteté et une persévérance sans relâche.

L'homme et la femme qui s'aiment, que « Dieu a donnés l'un à l'autre », sont alliés dans cette tâche. « Pour le meilleur et pour le pire » ne concerne pas seulement les événements extérieurs mais les vicissitudes ou les drames intérieurs. Pour le meilleur signifie lorsque l'autre, libre de ses émotions, se conduit en adulte conscient. Pour le pire, lorsque l'autre, emporté par son émotion, n'est plus qu'une réaction mécanique. Combien d'amour vrai et de compréhension de sa propre condition sont alors nécessaires pour se rappeler que cette exigence infantile, cette injustice, cette colère, cette vanité ne sont pas la réalité essentielle de celui ou celle qui se tient en face de nous. Qui pourrait juger un malade dont la blessure saigne ou que sa toux fait suffoquer ? De l'époux et de l'épouse chacun doit être vigilant, non seulement pour lui mais pour l'autre.

Le mariage est la complète nudité l'un en face de l'autre : la nudité des corps dans l'union physique est le signe de la nudité des âmes.

Les amants désirent la nudité physique totale pour que leur union soit parfaite. Il en est de même de la nudité morale et mentale. Des époux ne se cachent rien. C'est une question de temps, de lieu et de circonstance. Une femme ne se montre pas sans vêtement à son mari pendant que celui-ci est en train d'étudier ou d'écrire. De même un époux et une épouse tiennent compte des conditions particulières de leur conjoint pour se dénuder psychologiquement. Seul le sage est parfaitement neutre. Chacun a ses émotions latentes qui peuvent être attisées et ses blessures intimes qui peuvent être ravivées par certaines pensées, craintes, désirs de l'être aimé. La communion des nudités morales comme l'union des nudités physiques est un échange conscient, non un viol ou une agression. Le respect des cœurs va de pair avec celui des corps.

Cette vérité totale n'est possible qu'entre celui et celle qui s'aiment. Elle est leur privilège. Dans beaucoup de traditions la femme ne se montre complètement qu'à son mari : la musulmane est voilée pour sortir, l'hindoue ne défait complètement ses cheveux que pour lui. La pudeur vis-à-vis des étrangers n'est nullement incompatible avec la perfection érotique dans l'intimité. Au contraire la plénitude sexuelle va de pair avec la chasteté. La coutume de réserver la vision de son corps à son époux — et que nous en sommes loin avec les maillots deux-pièces et les bikinis — n'est pas l'expression d'un asservissement mais d'une profonde connaissance ésotérique complètement perdue par le monde moderne. Elle est le signe d'un sacrement. Tout cela est tellement loin de notre possibilité actuelle de compréhension que je ne veux pas m'étendre. Puisque nous voyons les choses d'une façon opposée ne nions pas que nous voyons les choses d'une façon opposée. Mais ne condamnons pas un ordre dont la signification nous échappe et ne négligeons aucune des chances qui nous sont données d'approfondir notre compréhension.

Ce dévoilement des époux l'un à l'autre est la première expression du véritable amour. Il demande une confiance totale hors de laquelle le mariage n'est que l'accouplement de deux égoïsmes ou de deux fascinations. Si chacun a projeté sur l'autre la personnification de son monde inconscient ou une image particulière d'homme et de femme également inconsciente, il peut y avoir fascination, fascination merveilleuse ou fascination tragique, mais pas amour. L'amour commence avec la connaissance de l'autre à travers la connaissance de soi. Pour aimer il faut être.

De toute façon, avec son conjoint, on ne peut pas tricher. « Il n'y a pas de noble pour son valet de chambre ». Il n'y a pas de grand homme pour son épouse ni de femme idéale pour son mari. La seule admiration possible, une fois démenti l'enthousiasme de la fascination, est pour le courage et la sincérité. Un mari et une femme se respecteront d'autant plus que chacun verra en l'autre l'acceptation de la vérité et le combat avec soi-même pour devenir plus fort et plus libre. Les relations superficielles au niveau du mental et du corps empêchent de se manifester une relation plus profonde au niveau des essences. Si toutes les fonctions d'un homme et d'une femme, père, fille, frère, amie, amant, associée, sont impliquées dans l'amour, tous les niveaux — et toutes les contradictions — de soi-même le sont aussi. J'aime avec « le meilleur » de moi, je suis fasciné avec « le pire » de moi. Cela chacun des conjoints l'accepte pour lui et pour l'autre. Est-ce un devoir ? Non, c'est un droit, le droit d'avoir véritablement le dharma d'un époux et d'une épouse, donc d'être et de devenir. Alors chacun peut ressentir : « Je suis pour lui » et non « il est pour moi ». Cela demande une extrême vigilance et parfois un combat difficile que personne n'aurait la lucidité de mener s'il n'en comprend tout le sens et la portée. Je refuse l'émotion et la réaction de l'autre parce qu'elles trahissent mon attente. Je refuse l'autre. Une souffrance réprimée crie : « Non, non », et réclame obstinément le geste ou la parole qui ne viennent pas. A partir de là toutes les réactions sont possibles si le mental garde l'initiative des opérations. Toutes les réactions mais une seule action, qui est le cœur de la Voie. Acceptant mon émotion, reconnaissant sa force de conviction, « je » me dissocie de mon mental. C'est l'aube de « je suis ». Le vrai « je » ne demande jamais. « Je » voit ce qui est, *je* sent, *je* comprend. Enraciné dans ma profondeur et ma liberté, *je* libre et unifié est un avec l'autre que, peut-être sans une parole, sans un geste, l'amour rappelle à cette paix qui est toujours en nous comme le ciel bleu est toujours derrière les nuages noirs.

En aimant sans égoïsme, en s'efforçant de donner sans demander, l'époux ou l'épouse ne se sacrifie pas. Au contraire, il devient de plus en plus libre. Plus il renonce à posséder l'autre plus il sent que celui-ci est à lui, est lui. L' « amour » fait d'émotions et de réactions inspire au conjoint autant d'émotions et de réactions. Mais l'amour conscient attire l'amour vrai. Personne ne se trompe et ne méconnaît l'amour qui aime sans faiblesse mais aussi sans jugement.

⁂

Tout ce que je viens de dire sur l'amour des époux représente la forme la plus juste de la relation entre l'homme et la femme. Elle est rarement réalisée. Les échecs, les difficultés peuvent devenir aussi une part de la Voie, à condition de les vivre dans la vérité et non en conflit inconscient avec la morale. C'est dans ce domaine que celle-ci crée le plus de confusion.

Un des aspects de l'adhyatma yoga les plus difficiles à bien comprendre est son rejet des critères moraux et sociaux et de la distinction du bien et du mal en soi. Il n'y a que des cas particuliers. La question n'est pas : « Est-ce bien ou mal ? » mais : « Est-ce juste ou faux ? » La réponse n'est jamais donnée par l'application de principes ou de prescriptions mais par la situation elle-même. Si l'on voit *tous* les aspects d'une situation et si l'on tient compte de *tous* les faits, appréhendés de façon neutre, la justice propre à chaque situation apparaît d'elle-même, comme une réponse qui s'impose. Pour devenir adulte, responsable, conscient, pour trouver notre dépendance en nous-même et non au dehors, nous devons éliminer les règles morales et les jugements de valeur qui nous ont été imposés du dehors et que nous avons enregistrés dans notre mental. Ces conceptions nous sont étrangères et, par conséquent, créent forcément la division en nous.

Bien sûr, le rejet des principes moraux peut paraître ouvrir le champ libre à la licence et à toutes les satisfactions égoïstes incontrôlées : « Je fais ce qui me plaît et merde pour les autres », — ce qui serait effectivement le contraire de la Voie, *exactement le contraire*.

S'affranchir de la Loi est la décision la plus haute qu'un homme puisse prendre. Mais elle n'est possible qu'à ceux et celles qui ont reconnu l'autorité d'un maître, lui-même complètement au-dessus des lois, mais aussi complètement libre de son ego, complètement impersonnel. Le maître ne donnera cet enseignement hors de la morale que de façon ésotérique, c'est-à-dire jamais à n'importe qui mais seulement à ceux qui ne sont plus mûs d'abord par leurs impulsions et leurs intérêts individuels. Seul en est digne le disciple qui a montré son exigence intime de vérité et de perfection et qui est prêt à payer n'importe quel prix pour devenir libre. Ce disciple a encore des désirs, encore un ego, mais il a aussi une aspiration stable, profonde et sincère à la vraie croissance intérieure.

Pour pouvoir croître, il faut être soi-même et unifié. Si la vérité est que je suis un démon, il n'y a que ce démon qui puisse évoluer, se transformer, devenir de moins en moins égoïste — et pas l'image idéale que mes parents ou éducateurs m'ont appris à surimposer à la vérité. Dire : « Tu ne mentiras pas » à un menteur, ou : « Tu resteras immobile » à un enfant qui bouge tout le temps, crée immédiatement « un autre ». Une double personnalité *(split personality)* divise l'enfant entre : « Je mens » et « Je ne dois pas mentir », « Je remue » et « Je ne dois pas remuer ». Rien ne sert d'ordonner quand l'ordre ne peut pas être exécuté. C'est, au contraire, très grave. Il faut trouver et supprimer la cause du mensonge ou la cause de l'agitation motrice. Inutile d'humilier et désoler un enfant en lui reprochant sans arrêt d'être bavard si c'est seulement à quarante ans et après des semaines épiques de lutte avec lui-même qu'il comprendra à quelle profondeur et dans quelle souffrance prenait racine ce besoin de parler et d'être écouté.

Il ne suffit pas de dire ce qu'il faut faire et ne pas faire; il faut montrer le chemin qui y conduit, le chemin qui m'y conduit moi tel que je suis et non pas tel que je devrais être.

Les Commandements religieux et la Loi, dont découlent toutes les morales même laïques, donnent une description de l'homme parfait. Le sage, en effet, ne ment pas, ne commet pas l'adultère, ne convoite pas. Il honore son père et sa mère, car il est libre de toute réaction infantile inconsciente à l'égard de l'image du père et de l'image de la mère, accomplissement extrêmement rare. La vraie religion, la seule vraie, c'est la voie vers cette perfection et les moyens d'y parvenir, c'est l'enseignement de la transformation personnelle. Parmi ceux qui se disent Chrétiens, qui peut mettre en pratique les commandements, *tous* les commandements, et d'ailleurs qui les met en pratique ? Il ne suffit pas de se cramponner à l'un d'entre eux au détriment des autres. Si je ne commets pas l'adultère mais que je compense ma répression en convoitant le bien d'autrui ou en jugeant les autres, je ne suis pas dans la vérité.

La morale imposée du dehors et qui n'est pas l'expression de notre niveau d'être nous maintient dans la dualité et le conflit avec nous-même, dans l'aveuglement et le mensonge. Le vrai combat en nous est entre le désir de satisfaire la dépendance, l'infantilisme et l'égoïsme et le désir de devenir adulte, libre, éveillé. Il y a des mères qui se dévouent à leur mari et leurs enfants, des hommes qui se consacrent à des activités sociales désintéressées et qui sont complètement égoïstes, imposant partout leurs préjugés et leurs préférences. Aujourd'hui la vie sexuelle et sentimentale oscille entre l'anarchie et la répression, les impulsions et les mensonges. L'abîme est de plus en plus profond entre les vestiges de la morale et la pratique quotidienne. Non seulement l'amour n'est plus une voie mais il est le plus souvent une prison, une bataille de réactions. Seule la vérité peut apporter un peu de lumière dans ces ténèbres et, surtout, cette souffrance. Jamais le mensonge.

Cela est d'autant plus grave que l'homme et la femme ne sont pas seuls en cause mais aussi leurs enfants et que ce qui fait toujours le plus de mal aux enfants, c'est la perception du mensonge chez les adultes.

« La vie sépare ceux qui s'aiment », répètent les romans, les films, les chansons. Pas la vie : le mensonge, le refus de la réalité, le refus des lois universelles inexorables. Le bonheur conjugal est fait d'une réconciliation et d'une harmonisation avec l'ordre cosmique dans lequel l'homme et la femme s'insèrent. La nostalgie de l'amour unique et éternel, l'idée qu'il existe quelque part un homme ou une femme qui nous correspond exactement restent tenaces au fond du cœur humain. Bien des amants ont cru de tout leur être qu'ils avaient été « créés l'un pour l'autre ». Quelques mois plus tard il ne demeure que l'amertume, la déception et la souffrance. Quelle preuve plus éclatante peut-elle être donnée que nous vivons dans le mensonge et le sommeil ? L'homme et la femme changent, d'année en année et de minute en minute. Est-ce que ce changement est destiné à les séparer ou à les rapprocher ? Est-ce un changement qui se fait par la force des choses ou consciemment ? Ceux qui sont vraiment engagés dans la Voie se rapprochent d'un certain but qu'on a appelé symboliquement le sommet de la montagne. Leurs chemins convergent et ils ne peuvent que se comprendre de mieux en mieux.

L'essentiel est qu'il y ait « quelqu'un » pour aimer, un être unifié, dont le oui soit oui et le non soit non. On ne peut pas aimer un autre si on ne s'aime pas soi-même et on ne peut pas s'aimer soi-même si on est en conflit avec soi-même, si on dit oui et non en même temps ou oui le matin et non le soir. L'homme moderne se trouve dans cette situation tragique de devoir vivre sans savoir comment il fonctionne. C'est aussi aberrant que de devoir conduire une voiture place de la Concorde sans avoir jamais appris ce qu'est un débrayage, et infiniment plus dramatique. Aucune de nos actions n'a le sens que nous lui donnons. C'est dans l'amour entre l'homme et la femme que cette ignorance mérite le mieux le nom d'aveuglement. Un homme ou une femme aime. Mais il est soumis à des forces qui le manœuvrent à son insu et le conduisent là où il ne voulait pas aller.

Confronté à tant d'échecs, de désillusions, de souffrances, comment l'homme contemporain peut-il accepter de vivre sans connaissance de soi et sans connaître les lois de la Manifestation ?

5

VIVRE POUR LES AUTRES

Je me promenais un soir, à travers les rizières du Bengale, avec un élève français de mon maître. Je lui demandai quelle définition brève il donnerait de cette expression si vague et confuse : la vie spirituelle. Il répondit : « La vie spirituelle, ce sont tous les miracles qui se produisent dès qu'on commence à faire passer l'intérêt des autres avant le sien ».

Miracles pour les autres, c'est à eux de le dire. Mais, pour soi, sans aucun doute.

L'égoïsme est la souffrance. Le non-égoïsme est le bonheur permanent.

Plus on aime, plus on est libre. Cet amour n'a rien à voir, bien sûr, avec l'attachement, le désir et la peur.

C'est ton bien qui m'intéresse et non le mien. Je suis toi. Si j'ai en moi la paix et la joie pendant que tu te débats encore dans ta prison, je t'appelle silencieusement à cette paix et à cette joie qui sont aussi ton héritage.

Je n'ai pas écrit souvent le mot Dieu dans tout

cet ouvrage. Je le fais maintenant. Dieu, a dit le Christ, c'est le Père. Qu'est-ce que tout père digne de ce nom veut et souhaite pour ses enfants ? Son but le plus cher est que ses enfants l'égalent ou le dépassent en intelligence, en santé, en savoir, en richesse, en bonheur. S'il n'a pas pu avoir d'instruction il travaille pour pouvoir leur en faire donner. Dieu, le Père, créateur de l'Univers, appelle chaque homme et chaque femme à L'égaler, à hériter de l'infini, de l'illimité, de l'éternel, à être un sans un second.

Tout est moi. Je suis tout. J'aime mon prochain comme étant moi-même. Je ne suis pas plus moi que je ne suis toi. Je suis libre du fardeau de moi-même.

Cet ouvrage reproduit par procédé photomécanique
a été achevé d'imprimer en novembre 1990
sur les presses de l'Imprimerie Bussière
à Saint-Amand (Cher)
pour le compte des Éditions de La Table Ronde

N° d'Édition : 2563. N° d'Impression : 3079.
Dépôt légal : novembre 1990.

Imprimé en France